Molière
Le Bourgeois gentilhomme
(1670)

Texte intégral

LE DOSSIER
Une comédie-ballet satirique

L'ENQUÊTE
**Turcs et turqueries à l'époque
de Molière**

Notes et dossier
Isabelle Cristofari
Professeur de lettres modernes

Collection dirigée par
Bertrand Louët

Sommaire

OUVERTURE

Le Grand Bal de la douairière de Billebahaut,
« Seconde entrée du Grand Seigneur ». Aquarelle
de Daniel Rabel (1578-1637). Paris, musée du Louvre.

© Hatier, Paris, 2011
ISBN : 978-2-218-95915-8

Le Bourgeois gentilhomme

LE DOSSIER

Une comédie-ballet satirique

L'ENQUÊTE

Qui sont les personnages ?

Les bourgeois

MONSIEUR JOURDAIN

Riche marchand drapier, son souhait
le plus cher est de devenir gentilhomme.
Sa folie des grandeurs et sa naïveté
en font un personnage franchement
ridicule.

MADAME JOURDAIN

Femme de bon sens, elle n'a pas
honte d'être une bourgeoise. La folie
de son mari ne l'amuse pas et elle tente
de le ramener à la réalité. Elle met tout
en œuvre pour que sa fille Lucile puisse
épouser Cléonte, qui lui semble un bon
parti même s'il n'est pas noble.

LUCILE ET CLÉONTE

Lucile, fille de M. Jourdain, est
amoureuse de Cléonte. Amoureux
de comédie typiques, tous les deux
sont sentimentaux et incapables
de mener leurs affaires à bien
sans l'aide des valets.

Les valets

NICOLE ET COVIELLE

Amoureux l'un de l'autre, la servante et le valet rivalisent d'efforts pour permettre le mariage de leurs jeunes maîtres. C'est Covielle qui débloque la situation, en inventant le stratagème de la « turquerie ».

Les nobles

DORANTE

Dorante est un jeune noble rompu à l'art de l'intrigue. Amoureux de Dorimène mais désargenté, il exploite sans scrupule la prétention et la naïveté de M. Jourdain pour arriver à ses fins.

DORIMÈNE

Marquise et veuve, elle finit par céder aux avances de Dorante. Sa sincérité et sa simplicité en font un personnage sympathique.

Quelle est l'histoire ?

Les circonstances

Commandée par Louis XIV pour les fêtes organisées à Chambord à l'occasion des chasses d'automne, la comédie-ballet du *Bourgeois gentilhomme* y est jouée pour la première fois le 14 octobre 1670. La pièce est influencée par le goût de l'époque pour l'Orient.

L'action

1. Tout à son rêve de noblesse, M. Jourdain passe ses journées auprès de maîtres chargés de lui inculquer les manières du grand monde.

2. Tandis que ses proches dénoncent ce rêve d'ascension sociale ou s'en moquent, d'autres en abusent : ainsi Dorante feint-il de favoriser une liaison entre Dorimène et M. Jourdain, alors qu'il veut séduire la marquise pour son propre compte mais aux frais de M. Jourdain !

Israël Silvestre (1621-1691), Les Plaisirs de l'île enchantée, première journée, planche 6 — festin du roi et des reines avec plusieurs princesses et dames, gravure. Paris, musée Carnavalet.

Le but Dans cette pièce, Molière fait la satire tout autant des bourgeois enrichis qui rêvent de noblesse que des nobles désargentés qui vivent aux crochets de la bourgeoisie. Mais *Le Bourgeois gentilhomme* est d'abord et avant tout une comédie-ballet, un spectacle total dont l'objectif est de divertir, voire d'émerveiller le spectateur.

3. Tout cela prêterait à rire si la dupe n'était pas également un père autoritaire : M. Jourdain refuse que sa fille épouse Cléonte. C'est alors que Covielle imagine un stratagème pour tirer les jeunes gens d'affaire.

4. Désormais affublé du titre de *Mamamouchi*, M. Jourdain consent bien volontiers à donner sa fille au fils du Grand Turc. La pièce se termine par un triple mariage et le divertissement du Ballet des nations.

Qui est l'auteur ?

Jean-Baptiste Poquelin, dit Molière

● UNE VOCATION CONTRE UN DESTIN

Jean-Baptiste Poquelin naît à Paris en 1622. Après avoir obtenu son diplôme d'avocat, il se tourne vers son rêve : devenir comédien. Avec la famille Béjart, il fonde la troupe de l'Illustre-Théâtre et prend le pseudonyme de Molière. La faillite de l'entreprise pousse la troupe à quitter Paris pour la province. Devenue itinérante, elle va sillonner la France pendant treize ans.
Molière gagne ainsi les faveurs du public et obtient la protection du prince de Conti, puis celle de Monsieur, frère du roi.

● LE TOURNANT

De retour à Paris en 1658, l'Illustre-Théâtre joue devant le roi et la cour : le monarque est conquis et donne à la troupe la salle du Petit-Bourbon. Parce que Molière dénonce les travers de la société, ses pièces seront sans cesse attaquées, censurées, et certaines interdites (*Le Tartuffe* en 1664 ou *Dom Juan* en 1665).

● FIN DE PARTIE

À partir de 1668, Molière compose, sur commande royale, un certain nombre de comédies-ballets, comme *Monsieur de Pourceaugnac* (1669) et *Le Bourgeois gentilhomme* (1670). En 1673, alors qu'il joue *Le Malade imaginaire*, Molière est pris d'un malaise et meurt quelques heures plus tard. Il est enterré la nuit et clandestinement, car l'Église, à l'époque, ne permettait pas que les comédiens soient inhumés religieusement.

	1622	1643	1646-1658	1658	1659	1661
VIE DE MOLIÈRE	Naissance de Molière	Fondation de la troupe de l'Illustre-Théâtre	Tournées en province. Molière, directeur de troupe	Retour à Paris	*Les Précieuses ridicules*	Molière s'installe au théâtre du Palais-Royal

	1638	1643	1648	1653		1661
HISTOIRE	Naissance de Louis XIV	Mort de Louis XIII. Régence d'Anne d'Autriche	Début de la Fronde	Benserade, *Ballet royal de la nuit*, où des Turcs combattent des chrétiens		Louis XIV prend le pouvoir

Que se passe-t-il à l'époque ?

Sur le plan politique

● L'ASCENSION DE LA BOURGEOISIE

Classe montante de l'époque, la bourgeoisie, à l'inverse de la noblesse, travaille et renfloue les caisses de l'État en payant l'impôt. Louis XIV favorise l'ascension d'une partie de ces bourgeois qui aspirent à sortir de leur condition par la promotion nobiliaire.

● L'AFFAIBLISSEMENT DE LA NOBLESSE

Autrefois chargée de défendre le royaume et de conseiller le roi, la noblesse est dépouillée de ses prérogatives par Louis XIV. Marqué par la Fronde (révolte des nobles contre le pouvoir royal), le roi se défie de la noblesse. Réduits à l'inaction, les nobles s'appauvrissent et sont obligés de s'endetter pour tenir leur rang.

Sur le plan culturel

● LE MÉCÉNAT ROYAL

Louis XIV protège et pensionne écrivains et artistes, dont les œuvres doivent contribuer à la grandeur et à la glorification de son règne. Pour favoriser la création artistique et intellectuelle, il fonde des académies, comme l'Académie des inscriptions et belles lettres.

● LA MODE DE L'ORIENT

Depuis 1660, les « turqueries » sont à la mode. Celle du *Bourgeois gentilhomme* doit son origine à l'indignation soulevée par la visite de Soliman Aga, l'envoyé du sultan. Louis XIV, qui n'avait pas oublié non plus l'emprisonnement puis l'expulsion de l'ambassadeur de France à Istanbul, aurait demandé à Molière, pour les ridiculiser, de mettre en scène des Turcs dans sa prochaine comédie.

662	1664	1665	1668	1670	1672	1673
École es femmes	*Le Tartuffe*	*Dom Juan*	*L'Avare, George Dandin*	Deux comédies-ballets : *Le Bourgeois gentilhomme* et *Les Amants magnifiques*	*Les Femmes savantes*. Molière se brouille avec Lully	*Le Malade imaginaire.* Mort de Molière

663	1664	1667	1669	1670	1672	
es Turcs evant Vienne. ouis XIV envoie es troupes	Victoire de l'armée impériale sur les Turcs à Saint-Gotthard. Louis XIV a envoyé 6 000 hommes	Molière fait danser des Turcs dans *Le Sicilien ou l'Amour peintre*	Un émissaire turc est reçu à la cour	Pascal, *Pensées*. Racine, *Bérénice*	Le roi s'installe à Versailles. Début de la guerre de Hollande. Racine, *Bajazet*	

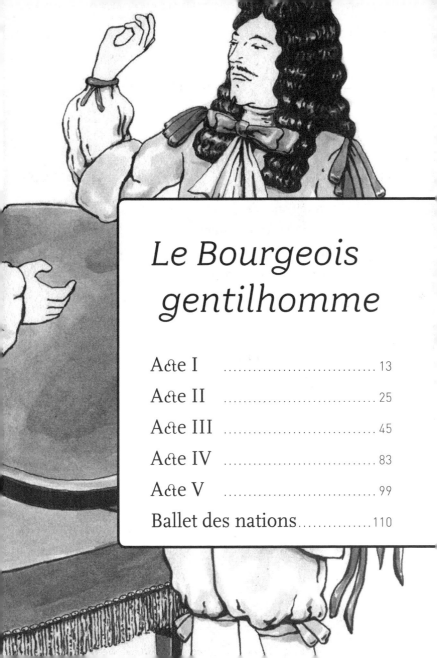

Le Bourgeois gentilhomme

Le Bourgeois gentilhomme

Comédie-ballet

LES PERSONNAGES

Monsieur Jourdain, *bourgeois*

Madame Jourdain, *sa femme*

Lucile, *fille de M. Jourdain*

Nicole, *servante*

Cléonte, *amoureux de Lucile*

Covielle, *valet de Cléonte*

Dorante, *comte, amant de Dorimène*

Dorimène, *marquise*

Maître de musique

Élève du maître de musique

Maître à danser, Maître d'armes, Maître de philosophie, Maître tailleur

Garçon tailleur

Deux laquais

Plusieurs musiciens, musiciennes, joueurs d'instruments, danseurs, cuisiniers, garçons tailleurs, et autres personnages des intermèdes et du ballet.

La scène est à Paris.

Acte I

SCÈNE 1 – MAÎTRE DE MUSIQUE, MAÎTRE À DANSER,
TROIS MUSICIENS, DEUX VIOLONS, QUATRE DANSEURS

L'ouverture se fait par un grand assemblage d'instruments ; et dans le milieu du théâtre on voit un élève du Maître de musique, qui compose sur une table un air que le Bourgeois a demandé pour une sérénade[1].

MAÎTRE DE MUSIQUE, *parlant à ses musiciens.* – Venez, entrez dans cette salle, et vous reposez là en attendant qu'il[2] vienne.

MAÎTRE À DANSER, *parlant aux danseurs.* – Et vous aussi, de ce côté.

MAÎTRE DE MUSIQUE, *à l'élève.* – Est-ce fait ?

5 L'ÉLÈVE. – Oui.

MAÎTRE DE MUSIQUE. – Voyons... Voilà qui est bien.

MAÎTRE À DANSER. – Est-ce quelque chose de nouveau ?

MAÎTRE DE MUSIQUE. – Oui, c'est un air pour une sérénade, que je lui[3] ai fait composer ici, en attendant que notre homme fût éveillé.

10 MAÎTRE À DANSER. – Peut-on voir ce que c'est ?

MAÎTRE DE MUSIQUE. – Vous l'allez entendre avec le dialogue[4] quand il viendra. Il ne tardera guère.

MAÎTRE À DANSER. – Nos occupations, à vous et à moi, ne sont pas petites maintenant.

15 MAÎTRE DE MUSIQUE. – Il est vrai. Nous avons trouvé ici un homme comme il nous le faut à tous deux ; ce nous est une douce rente[5]

---

1. **Sérénade** : concert destiné à être joué la nuit.
2. **Il** : M. Jourdain.
3. **Lui** : l'élève qui a composé la sérénade.
4. **Dialogue** : air pour deux ou plusieurs voix.
5. **Douce rente** : revenu facile.

que ce monsieur Jourdain, avec les visions[1] de noblesse et de galanterie[2] qu'il est allé se mettre en tête ; et votre danse et ma musique auraient à souhaiter que tout le monde lui ressemblât.

20 MAÎTRE À DANSER. – Non pas entièrement ; et je voudrais pour lui qu'il se connût mieux qu'il ne fait aux choses que nous lui donnons.

MAÎTRE DE MUSIQUE. – Il est vrai qu'il les connaît mal, mais il les paie bien ; et c'est de quoi maintenant nos arts ont plus besoin

25 que de toute autre chose.

MAÎTRE À DANSER. – Pour moi, je vous l'avoue, je me repais[3] un peu de gloire, les applaudissements me touchent ; et je tiens que, dans tous les beaux-arts, c'est un supplice assez fâcheux que de se produire à des sots, que d'essuyer[4] sur des compositions

30 la barbarie[5] d'un stupide. Il y a plaisir, ne m'en parlez point, à travailler pour des personnes qui soient capables de sentir les délicatesses d'un art, qui sachent faire un doux accueil aux beautés d'un ouvrage, et par de chatouillantes[6] approbations vous régaler de votre travail. Oui, la récompense la plus agréable

35 qu'on puisse recevoir des choses que l'on fait, c'est de les voir connues, de les voir caressées[7] d'un applaudissement qui vous honore. Il n'y a rien, à mon avis, qui nous paie mieux que cela de toutes nos fatigues ; et ce sont des douceurs exquises que des louanges éclairées[8].

---

1. **Visions** : lubies, idées extravagantes.
2. **Galanterie** : élégance, politesse.
3. **Me repais** : me nourris.
4. **Essuyer** : supporter.
5. **La barbarie d'un stupide** : l'absence de goût, la grossièreté de quelqu'un de stupide.
6. **Chatouillantes** : agréables.
7. **Caressées** : flattées.
8. **Louanges éclairées** : louanges de personnes qui ont du goût et des connaissances.

40 MAÎTRE DE MUSIQUE. – J'en demeure d'accord, et je les goûte[1] comme vous. Il n'y a rien assurément qui chatouille davantage que les applaudissements que vous dites. Mais cet encens[2] ne fait pas vivre ; des louanges toutes pures ne mettent point un homme à son aise : il y faut mêler du solide ; et la meilleure
45 façon de louer, c'est de louer avec les mains[3]. C'est un homme, à la vérité, dont les lumières sont petites, qui parle à tort et à travers de toutes choses, et n'applaudit qu'à contresens ; mais son argent redresse les jugements de son esprit ; il a du discernement dans sa bourse ; ses louanges sont monnayées, et ce
50 bourgeois ignorant nous vaut mieux, comme vous voyez, que le grand seigneur éclairé[4] qui nous a introduits ici.

MAÎTRE À DANSER. – Il y a quelque chose de vrai dans ce que vous dites ; mais je trouve que vous appuyez[5] un peu trop sur l'argent ; et l'intérêt est quelque chose de si bas, qu'il ne faut jamais qu'un
55 honnête homme● montre pour lui de l'attachement.

MAÎTRE DE MUSIQUE. – Vous recevez fort bien pourtant l'argent que notre homme vous donne.

MAÎTRE À DANSER. – Assurément ; mais je n'en fais pas tout mon bonheur, et je voudrais qu'avec son bien il eût encore quelque
60 bon goût des choses.

MAÎTRE DE MUSIQUE. – Je le voudrais aussi, et c'est à quoi nous travaillons tous deux autant que nous pouvons. Mais, en tout cas, il nous donne moyen de nous faire connaître dans le monde ; et il paiera pour les autres ce que les autres loueront pour lui.
65 MAÎTRE À DANSER. – Le voilà qui vient.

---

1. **Goûte** : apprécie.
2. **Cet encens** : ces compliments.
3. **Avec les mains** : en donnant de l'argent.
4. **Le grand seigneur éclairé** : Dorante.
5. **Appuyez** : insistez.

● Au XVIIe siècle, l'honnête homme est un homme élégant et cultivé.

SCÈNE 2 – Monsieur Jourdain, deux laquais, Maître de musique, Maître à danser, violons, musiciens et danseurs

MONSIEUR JOURDAIN. – Hé bien, messieurs ? Qu'est-ce ? Me ferez-vous voir votre petite drôlerie[1] ?

MAÎTRE À DANSER. – Comment ! quelle petite drôlerie ?

MONSIEUR JOURDAIN. – Eh la…, comment appelez-vous cela ?
70 votre prologue ou dialogue de chansons et de danse.

MAÎTRE À DANSER. – Ah ! ah !

MAÎTRE DE MUSIQUE. – Vous nous y voyez préparés.

MONSIEUR JOURDAIN. – Je vous ai fait un peu attendre, mais c'est que je me fais habiller aujourd'hui comme les gens de qualité●,
75 et mon tailleur m'a envoyé des bas de soie que j'ai pensé ne mettre jamais.

MAÎTRE DE MUSIQUE. – Nous ne sommes ici que pour attendre votre loisir[2].

MONSIEUR JOURDAIN. – Je vous prie tous deux de ne vous point
80 en aller qu'on ne m'ait apporté mon habit, afin que vous me puissiez voir.

MAÎTRE À DANSER. – Tout ce qu'il vous plaira.

MONSIEUR JOURDAIN. – Vous me verrez équipé comme il faut, depuis les pieds jusqu'à la tête.

---

1. **Drôlerie** : divertissement.
2. **Attendre votre loisir** : attendre le moment qui vous convient, où vous serez disponible.

● L'expression « gens de qualité » fait référence aux nobles de naissance. À l'époque de Molière, ceux-ci étaient vêtus d'étoffes colorées et précieuses, tandis que les bourgeois allaient vêtus de gris et de noir.

85 MAÎTRE DE MUSIQUE. – Nous n'en doutons point.

MONSIEUR JOURDAIN. – Je me suis fait faire cette indienne-ci[1].

MAÎTRE À DANSER. – Elle est fort belle.

MONSIEUR JOURDAIN. – Mon tailleur m'a dit que les gens de qualité étaient comme cela le matin.

90 MAÎTRE DE MUSIQUE. – Cela vous sied[2] à merveille.

MONSIEUR JOURDAIN. – Laquais ! holà, mes deux laquais !

PREMIER LAQUAIS. – Que voulez-vous, monsieur ?

MONSIEUR JOURDAIN. – Rien. C'est pour voir si vous m'entendez bien. *(Aux deux Maîtres.)* Que dites-vous de mes livrées[3] ?

95 MAÎTRE À DANSER. – Elles sont magnifiques.

MONSIEUR JOURDAIN. – *(Il entrouvre sa robe[4] et fait voir un haut-de-chausses[5] étroit de velours rouge, et une camisole[6] de velours vert, dont il est vêtu.)* Voici encore un petit déshabillé pour faire le matin mes exercices.

100 MAÎTRE DE MUSIQUE. – Il est galant[7].

MONSIEUR JOURDAIN. – Laquais !

PREMIER LAQUAIS. – Monsieur.

MONSIEUR JOURDAIN. – L'autre laquais !

SECOND LAQUAIS. – Monsieur.

105 MONSIEUR JOURDAIN. – Tenez ma robe. Me trouvez-vous bien comme cela ?

MAÎTRE À DANSER. – Fort bien. On ne peut pas mieux.

MONSIEUR JOURDAIN. – Voyons un peu votre affaire.

---

1. **Indienne** : tissu précieux importé des Indes, dans lequel M. Jourdain s'est fait faire une robe de chambre.
2. **Sied** : va.
3. **Livrées** : uniformes de laquais.
4. **Robe** : robe de chambre.
5. **Haut-de-chausses** : pantalon court.
6. **Camisole** : vêtement qui se portait sur la chemise.
7. **Galant** : élégant.

MAÎTRE DE MUSIQUE. – Je voudrais bien auparavant vous faire
110 entendre un air qu'il vient de composer pour la sérénade que
vous m'avez demandée. C'est un de mes écoliers, qui a pour
ces sortes de choses un talent admirable.

MONSIEUR JOURDAIN. – Oui ; mais il ne fallait pas faire faire cela
par un écolier[1], et vous n'étiez pas trop bon vous-même pour
115 cette besogne-là.

MAÎTRE DE MUSIQUE. – Il ne faut pas, monsieur, que le nom d'écolier vous abuse. Ces sortes d'écoliers en savent autant que les
plus grands maîtres, et l'air est aussi beau qu'il s'en puisse
faire. Écoutez seulement.

120 MONSIEUR JOURDAIN. – Donnez-moi ma robe pour mieux entendre...
Attendez, je crois que je serai mieux sans robe... Non ; redonnez-
la-moi, cela ira mieux.

MUSICIEN, *chantant*

Je languis nuit et jour, et mon mal est extrême,
Depuis qu'à vos rigueurs vos beaux yeux m'ont soumis :
125 *Si vous traitez ainsi, belle Iris, qui vous aime,*
Hélas ! que pourriez-vous faire à vos ennemis ?

MONSIEUR JOURDAIN. – Cette chanson me semble un peu lugubre,
elle endort, et je voudrais que vous la pussiez un peu ragaillar-
dir par-ci, par-là.

130 MAÎTRE DE MUSIQUE. – Il faut, monsieur, que l'air soit accommodé
aux paroles.

MONSIEUR JOURDAIN. – On m'en apprit un tout à fait joli, il y a
quelque temps. Attendez... La..., comment est-ce qu'il dit ?

MAÎTRE À DANSER. – Par ma foi ! je ne sais.

---

1. **Écolier** : disciple, et non pas apprenti, comme le croit
M. Jourdain.

135 MONSIEUR JOURDAIN. – Il y a du mouton dedans.

MAÎTRE À DANSER. – Du mouton ?

MONSIEUR JOURDAIN. – Oui. Ah ! *(Monsieur Jourdain chante.)*

> *Je croyais Janneton*
> *Aussi douce que belle,*
140 > *Je croyais Janneton*
> *Plus douce qu'un mouton :*
> *Hélas ! hélas ! elle est cent fois,*
> *Mille fois plus cruelle,*
> *Que n'est le tigre aux bois*●.

145 N'est-il pas joli ?

MAÎTRE DE MUSIQUE. – Le plus joli du monde.

MAÎTRE À DANSER. – Et vous le chantez bien.

MONSIEUR JOURDAIN. – C'est sans avoir appris la musique.

MAÎTRE DE MUSIQUE. – Vous devriez l'apprendre, monsieur,
150 comme vous faites la danse. Ce sont deux arts qui ont une
étroite liaison ensemble.

MAÎTRE À DANSER. – Et qui ouvrent l'esprit d'un homme aux belles
choses.

MONSIEUR JOURDAIN. – Est-ce que les gens de qualité apprennent
155 aussi la musique ?

MAÎTRE DE MUSIQUE. – Oui, monsieur.

MONSIEUR JOURDAIN. – Je l'apprendrai donc. Mais je ne sais quel
temps je pourrai prendre ; car, outre le Maître d'armes qui me
montre[1], j'ai arrêté[2] encore un Maître de philosophie, qui doit
160 commencer ce matin.

---

1. **Montre** : instruit
2. **Arrêté** : engagé.

● Le contraste des registres
(familier et soutenu) entre
les deux chansons est
particulièrement comique.

MAÎTRE DE MUSIQUE. – La philosophie est quelque chose ; mais la musique, monsieur, la musique...

MAÎTRE À DANSER. – La musique et la danse... La musique et la danse, c'est là tout ce qu'il faut.

165 MAÎTRE DE MUSIQUE. – Il n'y a rien qui soit si utile dans un État que la musique.

MAÎTRE À DANSER. – Il n'y a rien qui soit si nécessaire aux hommes que la danse.

MAÎTRE DE MUSIQUE. – Sans la musique, un État ne peut subsister.

170 MAÎTRE À DANSER. – Sans la danse, un homme ne saurait rien faire.

MAÎTRE DE MUSIQUE. – Tous les désordres, toutes les guerres qu'on voit dans le monde, n'arrivent que pour n'apprendre pas la musique.

MAÎTRE À DANSER. – Tous les malheurs des hommes, tous les
175 revers funestes[1] dont les histoires sont remplies, les bévues[2] des politiques et les manquements des grands capitaines[3], tout cela n'est venu que faute de savoir danser.

MONSIEUR JOURDAIN. – Comment cela ?

MAÎTRE DE MUSIQUE. – La guerre ne vient-elle pas d'un manque
180 d'union entre les hommes ?

MONSIEUR JOURDAIN. – Cela est vrai.

MAÎTRE DE MUSIQUE. – Et si tous les hommes apprenaient la musique, ne serait-ce pas le moyen de s'accorder ensemble, et de voir dans le monde la paix universelle ?

185 MONSIEUR JOURDAIN. – Vous avez raison.

MAÎTRE À DANSER. – Lorsqu'un homme a commis un manquement dans sa conduite, soit aux affaires de sa famille, ou au

---

3. **Revers funestes** : circonstances malheureuses, coups du sort.
4. **Bévues** : erreurs.
3. **Manquements des grands capitaines** : fautes des chefs militaires.

gouvernement d'un État, ou au commandement d'une armée,
ne dit-on pas toujours : « Un tel a fait un mauvais pas dans une
190 telle affaire » ?

MONSIEUR JOURDAIN. – Oui, on dit cela.

MAÎTRE À DANSER. – Et faire un mauvais pas peut-il procéder
d'autre chose que de ne savoir pas danser ?

MONSIEUR JOURDAIN. – Cela est vrai, vous avez raison tous deux.

195 MAÎTRE À DANSER. – C'est pour vous faire voir l'excellence et l'uti-
lité de la danse et de la musique.

MONSIEUR JOURDAIN. – Je comprends cela à cette heure.

MAÎTRE DE MUSIQUE. – Voulez-vous voir nos deux affaires ?

MONSIEUR JOURDAIN. – Oui.

200 MAÎTRE DE MUSIQUE. – Je vous l'ai déjà dit, c'est un petit essai que
j'ai fait autrefois des diverses passions que peut exprimer la
musique.

MONSIEUR JOURDAIN. – Fort bien.

MAÎTRE DE MUSIQUE, *aux musiciens.* – Allons, avancez. *(À Monsieur*
205 *Jourdain.)* Il faut vous figurer qu'ils sont habillés en bergers.

MONSIEUR JOURDAIN. – Pourquoi toujours des bergers* ? On ne
voit que cela partout.

MAÎTRE À DANSER. – Lorsqu'on a des personnes à faire parler en
musique, il faut bien que, pour la vraisemblance, on donne
210 dans la bergerie. Le chant a été de tout temps affecté aux bergers ; et il n'est guère naturel en dialogue que des princes ou
des bourgeois chantent leurs passions.

MONSIEUR JOURDAIN. – Passe, passe. Voyons.

Au XVIIe siècle, la mode est
à la pastorale, genre poétique
dont les héros sont des bergers
et où se mêlent chants
et danses.

DIALOGUE EN MUSIQUE

UNE MUSICIENNE ET DEUX MUSICIENS

Un cœur, dans l'amoureux empire[1],

215   *De mille soins[2] est toujours agité :*

On dit qu'avec plaisir on languit[3], on soupire ;

Mais, quoi qu'on puisse dire,

Il n'est rien de si doux que notre liberté.

PREMIER MUSICIEN

Il n'est rien de si doux que les tendres ardeurs

220   *Qui font vivre deux cœurs*

Dans une même envie.

On ne peut être heureux sans amoureux désirs :

Ôtez l'amour de la vie,

Vous en ôtez les plaisirs.

SECOND MUSICIEN

225   *Il serait doux d'entrer sous l'amoureuse loi[4],*

Si l'on trouvait en amour de la foi[5] ;

Mais, hélas ! ô rigueur cruelle !

On ne voit point de bergère fidèle ;

Et ce sexe inconstant, trop indigne du jour,

230   *Doit faire pour jamais renoncer à l'amour.*

PREMIER MUSICIEN

Aimable ardeur !

---

1. **Dans l'amoureux empire** : sous l'emprise de l'amour.
2. **Soins** : soucis.
3. **On languit** : on se plaint.
4. **Il serait doux [...] loi** : il serait doux d'aimer.
5. **Foi** : fidélité.

MUSICIENNE
Franchise[1] heureuse !

SECOND MUSICIEN
Sexe trompeur ! → *deceptive*

PREMIER MUSICIEN
Que tu m'es précieuse !

MUSICIENNE
235   *Que tu plais à mon cœur !*

SECOND MUSICIEN
Que tu me fais d'horreur !

PREMIER MUSICIEN
Ah ! quitte pour aimer cette haine mortelle.

MUSICIENNE
*On peut, on peut te montrer
Une bergère fidèle.*

SECOND MUSICIEN
240   *Hélas ! où la rencontrer ?*

MUSICIENNE
*Pour défendre notre gloire[2],
Je te veux offrir mon cœur.*

SECOND MUSICIEN
*Mais, Bergère, puis-je croire
Qu'il ne sera point trompeur ?*

1. **Franchise** : liberté.
2. **Gloire** : réputation.

MUSICIENNE

245 *Voyons par expérience*
Qui des deux aimera mieux.

SECOND MUSICIEN

Qui manquera de constance,
Le puissent perdre les dieux[1] !

TOUS TROIS

À des ardeurs si belles
250 *Laissons-nous enflammer :*
Ah ! qu'il est doux d'aimer,
Quand deux cœurs sont fidèles !

MONSIEUR JOURDAIN. – Est-ce tout ?

MAÎTRE DE MUSIQUE. – Oui.

255 MONSIEUR JOURDAIN. – Je trouve cela bien troussé[2], et il y a là-dedans de petits dictons assez jolis.

MAÎTRE À DANSER. – Voici, pour mon affaire, un petit essai des plus beaux mouvements, des plus belles attitudes dont une danse puisse être variée.

260 MONSIEUR JOURDAIN. – Sont-ce encore des bergers ?

MAÎTRE À DANSER. – C'est ce qu'il vous plaira. Allons.

(Quatre danseurs exécutent tous les mouvements différents et toutes les sortes de pas que le Maître à danser leur commande ; et cette danse fait le premier intermède[3].)

---

1. **Qui manquera de constance [...] les dieux** : que les dieux punissent celui qui est infidèle !
2. **Bien troussé** : bien tourné.
3. **Intermède** : divertissement musical prenant place entre deux actes.

Acte II

SCÈNE 1 – MONSIEUR JOURDAIN, MAÎTRE DE MUSIQUE, MAÎTRE À DANSER, LAQUAIS

MONSIEUR JOURDAIN. – Voilà qui n'est point sot, et ces gens-là se trémoussent[1] bien.

MAÎTRE DE MUSIQUE. – Lorsque la danse sera mêlée avec la musique, cela fera plus d'effet encore, et vous verrez quelque chose de galant dans le petit ballet que nous avons ajusté pour vous.

MONSIEUR JOURDAIN. – C'est pour tantôt au moins ; et la personne pour qui j'ai fait faire tout cela me doit faire l'honneur de venir dîner céans[2].

MAÎTRE À DANSER. – Tout est prêt.

MAÎTRE DE MUSIQUE. – Au reste, monsieur, ce n'est pas assez : il faut qu'une personne comme vous, qui êtes magnifique[3] et qui avez de l'inclination[4] pour les belles choses, ait un concert de musique chez soi tous les mercredis ou tous les jeudis.

MONSIEUR JOURDAIN. – Est-ce que les gens de qualité en ont ?

MAÎTRE DE MUSIQUE. – Oui, monsieur.

MONSIEUR JOURDAIN. – J'en aurai donc. Cela sera-t-il beau ?

MAÎTRE DE MUSIQUE. – Sans doute. Il vous faudra trois voix : un dessus[5], une haute-contre[6], et une basse, qui seront accompagnées

---

1. **Se trémoussent** : s'agitent.
2. **Dîner céans** : déjeuner ici, à la maison. Au XVIIᵉ siècle, le déjeuner est appelé « dîner » et le dîner « souper ».
3. **Magnifique** : qui ne regarde pas à la dépense, qui vit dans le luxe.
4. **Inclination** : goût.
5. **Un dessus** : un ténor.
6. **Une haute-contre** : une voix masculine dans le registre aigu.

d'une basse de viole[1], d'un théorbe[2], et d'un clavecin[3] pour les
20 basses continues, avec deux dessus de violon[4] pour jouer les
ritornelles[5].

MONSIEUR JOURDAIN. – Il y faudra mettre aussi une trompette
marine[6]. La trompette marine est un instrument qui me plaît,
et qui est harmonieux.

25 MAÎTRE DE MUSIQUE. – Laissez-nous gouverner les choses.

MONSIEUR JOURDAIN. – Au moins n'oubliez pas tantôt de m'envoyer
des musiciens, pour chanter à table.

MAÎTRE DE MUSIQUE. – Vous aurez tout ce qu'il vous faut.

MONSIEUR JOURDAIN. – Mais surtout, que le ballet soit beau.

30 MAÎTRE DE MUSIQUE. – Vous en serez content, et, entre autres
choses, de certains menuets[7] que vous y verrez.

MONSIEUR JOURDAIN. – Ah ! les menuets sont ma danse, et je
veux que vous me les voyiez danser. Allons, mon maître.

MAÎTRE À DANSER. – Un chapeau, monsieur, s'il vous plaît. La, la,
35 la ; La, la, la, la, la, la ; La, la, la, bis ; La, la la ; La, la. En cadence,
s'il vous plaît. La, la, la, la. La jambe droite. La, la, la. Ne remuez
point tant les épaules. La, la, la, la, la ; La, la, la, la, la. Vos deux
bras sont estropiés. La, la, la, la, la. Haussez la tête. Tournez la
pointe du pied en dehors. La, la, la. Dressez votre corps.

40 MONSIEUR JOURDAIN. – Euh ?

MAÎTRE DE MUSIQUE. – Voilà qui est le mieux du monde.

---

1. **Basse de viole ou viole de gambe** : grand violon à sept cordes
   et archet.
2. **Théorbe** : sorte de luth à six cordes au moins.
3. **Clavecin** : instrument à clavier, ancêtre du piano.
4. **Dessus de violon** : violon aigu.
5. **Ritornelle ou ritournelle** : motif musical situé avant ou après
   une partie chantée.
6. **Trompette marine** : sorte de mandoline à corde unique, qui
   produit un ronflement. Les mendiants jouaient souvent
   de cet instrument dans les rues.
7. **Menuet** : danse de bal adoptée sous Louis XIV.

MONSIEUR JOURDAIN. – À propos. Apprenez-moi comme il faut faire une révérence pour saluer une marquise : j'en aurai besoin tantôt.

45 MAÎTRE À DANSER. – Une révérence pour saluer une marquise● ?

MONSIEUR JOURDAIN. – Oui : une marquise qui s'appelle Dorimène.

MAÎTRE À DANSER. – Donnez-moi la main.

MONSIEUR JOURDAIN. – Non. Vous n'avez qu'à faire : je le retiendrai bien.

50 MAÎTRE À DANSER. – Si vous voulez la saluer avec beaucoup de respect, il faut faire d'abord une révérence en arrière, puis marcher vers elle avec trois révérences en avant, et à la dernière vous baisser jusqu'à ses genoux.

MONSIEUR JOURDAIN. – Faites un peu. Bon.

55 PREMIER LAQUAIS. – Monsieur, voilà votre maître d'armes qui est là.

MONSIEUR JOURDAIN. – Dis-lui qu'il entre ici pour me donner leçon. Je veux que vous me voyiez faire.

Monsieur Jourdain danse sous la direction de son maître de musique. Gravure de Tony Johannot dans l'édition des œuvres complètes de Molière, Paulin, 1836.

● Ce titre de noblesse prend rang après le duc et avant le comte.

SCÈNE 2 – MAÎTRE D'ARMES, MAÎTRE DE MUSIQUE, MAÎTRE À DANSER, MONSIEUR JOURDAIN, DEUX LAQUAIS

MAÎTRE D'ARMES, *après lui avoir mis le fleuret[1] à la main*. – Allons, monsieur, la révérence[2]. Votre corps droit. Un peu penché sur la cuisse gauche. Les jambes point tant écartées. Vos pieds sur une même ligne. Votre poignet à l'opposite[3] de votre hanche. La pointe de votre épée vis-à-vis de votre épaule. Le bras pas tout à fait si étendu. La main gauche à la hauteur de l'œil. L'épaule gauche plus quartée[4]. La tête droite. Le regard assuré. Avancez. Le corps ferme. Touchez-moi l'épée de quarte[5], et achevez de même. Une, deux. Remettez-vous. Redoublez[6] de pied ferme. Un saut en arrière. Quand vous portez la botte[7], monsieur, il faut que l'épée parte la première, et que le corps soit bien effacé. Une, deux. Allons, touchez-moi l'épée de tierce[8], et achevez de même. Avancez. Le corps ferme. Avancez. Partez de là. Une, deux. Remettez-vous. Redoublez. Un saut en arrière. En garde, monsieur, en garde.

(Le Maître d'armes lui pousse deux ou trois bottes, en lui disant : « En garde ».)

MONSIEUR JOURDAIN. – Euh ?

MAÎTRE DE MUSIQUE. – Vous faites des merveilles.

---

1. **Fleuret** : épée terminée par un bouton gainé de cuir, dont on se sert à l'escrime.
2. **Révérence** : salut que s'adressent les duellistes avant le combat.
3. **À l'opposite** : à la hauteur.
4. **Quartée** : effacée, en arrière, pour esquiver le coup.
5. **De quarte** : en position d'attaque.
6. **Redoublez** : recommencez.
7. **Botte** : coup, en escrime.
8. **Tierce** : autre position d'attaque.

MAÎTRE D'ARMES. – Je vous l'ai déjà dit, tout le secret des armes ne consiste qu'en deux choses, à donner, et à ne point recevoir ; et comme je vous fis voir l'autre jour par raison démonstrative[1],

80 il est impossible que vous receviez, si vous savez détourner l'épée de votre ennemi de la ligne de votre corps : ce qui ne dépend seulement que d'un petit mouvement du poignet ou en dedans, ou en dehors.

MONSIEUR JOURDAIN. – De cette façon donc, un homme, sans avoir

85 du cœur[2], est sûr de tuer son homme, et de n'être point tué ?

MAÎTRE D'ARMES. – Sans doute. N'en vîtes-vous pas la démonstration ?

MONSIEUR JOURDAIN. – Oui.

MAÎTRE D'ARMES. – Et c'est en quoi l'on voit de quelle considéra-

90 tion, nous autres, nous devons être dans un État, et combien la science des armes l'emporte hautement sur toutes les autres sciences inutiles, comme la danse, la musique, la •...

MAÎTRE À DANSER. – Tout beau[3], monsieur le tireur d'armes : ne parlez de la danse qu'avec respect.

95 MAÎTRE DE MUSIQUE. – Apprenez, je vous prie, à mieux traiter l'excellence de la musique.

MAÎTRE D'ARMES. – Vous êtes de plaisantes gens, de vouloir comparer vos sciences à la mienne !

MAÎTRE DE MUSIQUE. – Voyez un peu l'homme d'importance !

100 MAÎTRE À DANSER. – Voilà un plaisant animal, avec son plastron[4] !

MAÎTRE D'ARMES. – Mon petit maître à danser, je vous ferais danser comme il faut. Et vous, mon petit musicien, je vous ferais chanter de la belle manière.

---

1. **Par raison démonstrative** : par un raisonnement convaincant.
2. **Cœur** : courage.
3. **Tout beau** : doucement.
4. **Plastron** : pièce de cuir que les escrimeurs portent sur la poitrine pour se protéger.

● Cette réplique fait sans doute allusion au fait que Louis XIV avait fait anoblir plusieurs maîtres d'armes.

MAÎTRE À DANSER. – Monsieur le batteur de fer[1], je vous appren-
105   drai votre métier.

MONSIEUR JOURDAIN, *au Maître à danser.* – Êtes-vous fou de l'aller
quereller, lui qui entend la tierce et la quarte, et qui sait tuer un
homme par raison démonstrative ?

MAÎTRE À DANSER. – Je me moque de sa raison démonstrative, et
110   de sa tierce et de sa quarte.

MONSIEUR JOURDAIN. – Tout doux, vous dis-je.

MAÎTRE D'ARMES. – Comment ? petit impertinent.

MONSIEUR JOURDAIN. – Eh ! mon Maître d'armes.

MAÎTRE À DANSER. – Comment ? grand cheval de carrosse[2].

115 MONSIEUR JOURDAIN. – Eh ! mon Maître à danser.

MAÎTRE D'ARMES. – Si je me jette sur vous...

MONSIEUR JOURDAIN. – Doucement.

MAÎTRE À DANSER. – Si je mets sur vous la main...

MONSIEUR JOURDAIN. – Tout beau.

120 MAÎTRE D'ARMES. – Je vous étrillerai[3] d'un air...

MONSIEUR JOURDAIN. – De grâce !

MAÎTRE À DANSER. – Je vous rosserai d'une manière...

MONSIEUR JOURDAIN. – Je vous prie.

MAÎTRE DE MUSIQUE. – Laissez-nous un peu lui apprendre à parler.

125 MONSIEUR JOURDAIN. – Mon Dieu ! arrêtez-vous.

---

1. **Batteur de fer** : ferrailleur.
2. **Cheval de carrosse** : lourd cheval de trait.
3. **Étrillerai** et **rosserai** (l. 122) : frapperai.

SCÈNE 3 – Maître de philosophie, Maître de musique,
Maître à danser, Maître d'armes, Monsieur Jourdain,
Laquais

MONSIEUR JOURDAIN. – Holà, monsieur le philosophe, vous arri-
vez tout à propos avec votre philosophie. Venez un peu mettre
la paix entre ces personnes-ci.

MAÎTRE DE PHILOSOPHIE. – Qu'est-ce donc ? qu'y a-t-il, messieurs ?

130 MONSIEUR JOURDAIN. – Ils se sont mis en colère pour la préférence[1] de leurs professions, jusqu'à se dire des injures, et vouloir en venir aux mains.

MAÎTRE DE PHILOSOPHIE. – Hé quoi ? messieurs, faut-il s'emporter
de la sorte ? et n'avez-vous point lu le docte[2] traité que Sénèque[3] a
135 composé de[4] la colère ? Y a-t-il rien de plus bas et de plus honteux
que cette passion, qui fait d'un homme une bête féroce ? et la
raison ne doit-elle pas être maîtresse de tous nos mouvements ?

MAÎTRE À DANSER. – Comment, monsieur, il vient nous dire des
injures à tous deux, en méprisant la danse que j'exerce, et la
140 musique dont il fait profession ?

MAÎTRE DE PHILOSOPHIE. – Un homme sage est au-dessus de toutes
les injures qu'on lui peut dire, et la grande réponse qu'on doit
faire aux outrages, c'est la modération et la patience.

MAÎTRE D'ARMES. – Ils ont tous deux l'audace de vouloir comparer
145 leurs professions à la mienne.

1. **Préférence** : supériorité.
2. **Docte** : savant.
3. **Sénèque** : philosophe latin (4 av. J.-C.-65 apr. J.-C.)
dont l'œuvre enseigne qu'il faut dominer ses passions.
4. **De** : sur.

MAÎTRE DE PHILOSOPHIE. – Faut-il que cela vous émeuve ? Ce n'est pas de vaine gloire et de condition[1] que les hommes doivent disputer[2] entre eux ; et ce qui nous distingue parfaitement les uns des autres, c'est la sagesse et la vertu.

150 MAÎTRE À DANSER. – Je lui soutiens que la danse est une science à laquelle on ne peut faire assez d'honneur.

MAÎTRE DE MUSIQUE. – Et moi, que la musique en est une que tous les siècles ont révérée[3].

MAÎTRE D'ARMES. – Et moi, je leur soutiens à tous deux que la
155 science de tirer des armes est la plus belle et la plus nécessaire de toutes les sciences.

MAÎTRE DE PHILOSOPHIE. – Et que sera donc la philosophie ? Je vous trouve tous trois bien impertinents de parler devant moi avec cette arrogance[4], et de donner impudemment le nom de
160 science à des choses que l'on ne doit pas même honorer du nom d'art, et qui ne peuvent être comprises que sous le nom de métier misérable de gladiateur, de chanteur et de baladin[5] !

MAÎTRE D'ARMES. – Allez, philosophe de chien.

MAÎTRE DE MUSIQUE. – Allez, bélître de pédant[6].

165 MAÎTRE À DANSER. – Allez, cuistre fieffé[7].

MAÎTRE DE PHILOSOPHIE. – Comment ? marauds[8] que vous êtes...
(Le Philosophe se jette sur eux, et tous trois le chargent de coups, et sortent en se battant.)

MONSIEUR JOURDAIN. – Monsieur le Philosophe !

1. **Condition** : rang social.
2. **Disputer** : discuter.
3. **Révérée** : admirée, honorée.
4. **Arrogance** : insolence.
5. **Baladin** : terme péjoratif pour désigner un danseur.
6. **Bélître** : coquin ; **pédant** : qui fait étalage de son savoir.
7. **Cuistre** : pédant ridicule et prétentieux ; **fieffé** : au plus haut degré.
8. **Marauds** : canailles.

170 MAÎTRE DE PHILOSOPHIE. – Infâmes ! coquins ! insolents !

MONSIEUR JOURDAIN. – Monsieur le Philosophe !

MAÎTRE D'ARMES. – La peste l'animal[1] !

MONSIEUR JOURDAIN. – Messieurs !

MAÎTRE DE PHILOSOPHIE. – Impudents[2] !

175 MONSIEUR JOURDAIN. – Monsieur le Philosophe !

MAÎTRE À DANSER. – Diantre soit de l'âne bâté[3] !

MONSIEUR JOURDAIN. – Messieurs !

MAÎTRE DE PHILOSOPHIE. – Scélérats !

MONSIEUR JOURDAIN. – Monsieur le Philosophe !

180 MAÎTRE DE MUSIQUE. – Au diable l'impertinent !

MONSIEUR JOURDAIN. – Messieurs !

MAÎTRE DE PHILOSOPHIE. – Fripons ! gueux[4] ! traîtres ! imposteurs !

(Ils sortent.)

MONSIEUR JOURDAIN. – Monsieur le Philosophe, messieurs,
185 monsieur le Philosophe, messieurs, monsieur le Philosophe !
Oh ! battez-vous tant qu'il vous plaira : je n'y saurais que faire,
et n'irai pas gâter ma robe pour vous séparer. Je serais bien fou
de m'aller fourrer parmi eux, pour recevoir quelque coup qui
me ferait mal.

---

1. **La peste l'animal** : abréviation de « la peste emporte
l'animal ! »
2. **Impudents** : effrontés.
3. **Diantre** : diable ; **âne bâté** : ignorant ; que l'âne bâté aille
au diable !
4. **Gueux** : misérables.

SCÈNE 4 – Maître de philosophie, Monsieur Jourdain

[190] MAÎTRE DE PHILOSOPHIE, *en raccommodant son collet[1]*. – Venons à notre leçon.

MONSIEUR JOURDAIN. – Ah ! monsieur, je suis fâché des coups qu'ils vous ont donnés.

MAÎTRE DE PHILOSOPHIE. – Cela n'est rien. Un philosophe sait [195] recevoir comme il faut les choses, et je vais composer contre eux une satire du style de Juvénal[2], qui les déchirera de la belle façon. Laissons cela. Que voulez-vous apprendre ?

MONSIEUR JOURDAIN. – Tout ce que je pourrai, car j'ai toutes les envies du monde d'être savant ; et j'enrage que mon père et ma [200] mère ne m'aient pas fait bien étudier dans toutes les sciences, quand j'étais jeune.

MAÎTRE DE PHILOSOPHIE. – Ce sentiment est raisonnable : *Nam sine doctrina vita est quasi mortis imago*. Vous entendez[3] cela, et vous savez le latin sans doute ?

[205] MONSIEUR JOURDAIN. – Oui, mais faites comme si je ne le savais pas : expliquez-moi ce que cela veut dire.

MAÎTRE DE PHILOSOPHIE. – Cela veut dire que *sans la science, la vie est presque une image de la mort*.

MONSIEUR JOURDAIN. – Ce latin-là a raison.

[210] MAÎTRE DE PHILOSOPHIE. – N'avez-vous point quelques principes, quelques commencements des sciences ?

MONSIEUR JOURDAIN. – Oh ! oui, je sais lire et écrire.

---

1. **Collet** : rabat de toile blanche que l'on portait sur le col du pourpoint (veste).
2. **Juvénal** : poète latin (v. 60-v. 130), auteur de violentes *Satires* sur la décadence de Rome.
3. **Entendez** : comprenez.

MAÎTRE DE PHILOSOPHIE. – Par où vous plaît-il que nous commencions ? Voulez-vous que je vous apprenne la logique[1] ?

215 MONSIEUR JOURDAIN. – Qu'est-ce que c'est que cette logique ?

MAÎTRE DE PHILOSOPHIE. – C'est elle qui enseigne les trois opérations de l'esprit.

MONSIEUR JOURDAIN. – Qui[2] sont-elles, ces trois opérations de l'esprit[3] ?

220 MAÎTRE DE PHILOSOPHIE. – La première, la seconde et la troisième. La première est de bien concevoir par le moyen des universaux[4]. La seconde, de bien juger par le moyen des catégories[5] ; et la troisième de bien tirer une conséquence par le moyen des figures *Barbara, Celarent, Darii, Ferio, Baralipton*[6], etc.

225 MONSIEUR JOURDAIN. – Voilà des mots qui sont trop rébarbatifs[7]. Cette logique-là ne me revient point. Apprenons autre chose qui soit plus joli.

MAÎTRE DE PHILOSOPHIE. – Voulez-vous apprendre la morale ?

MONSIEUR JOURDAIN. – La morale ?

230 MAÎTRE DE PHILOSOPHIE. – Oui.

MONSIEUR JOURDAIN. – Qu'est-ce qu'elle dit cette morale ?

MAÎTRE DE PHILOSOPHIE. – Elle traite de la félicité[8], enseigne aux hommes à modérer leurs passions, et...

---

1. **Logique** : partie de la philosophie qui apprend à raisonner.
2. **Qui** : quelles.
3. **Les trois opérations de l'esprit** : la perception, le jugement, le raisonnement.
4. **Universaux** : caractères communs aux individus d'une espèce.
5. **Catégories** : classes selon lesquelles le philosophe Aristote répartit les êtres.
6. **Figures** : façons de raisonner ; *Barbara [...] Baralipton* : formules destinées à mémoriser les différentes façons de raisonner.
7. **Rébarbatifs** : ennuyeux.
8. **Félicité** : bonheur.

MONSIEUR JOURDAIN. – Non, laissons cela. Je suis bilieux[1] comme
235 tous les diables ; et il n'y a morale qui tienne, je me veux mettre
en colère tout mon soûl, quand il m'en prend envie.

MAÎTRE DE PHILOSOPHIE. – Est-ce la physique que vous voulez
apprendre ?

MONSIEUR JOURDAIN. – Qu'est-ce qu'elle chante cette physique● ?

240 MAÎTRE DE PHILOSOPHIE. – La physique est celle qui explique les
principes des choses naturelles et les propriétés du corps ; qui
discourt de la nature des éléments, des métaux, des minéraux,
des pierres, des plantes et des animaux, et nous enseigne les
causes de tous les météores, l'arc-en-ciel, les feux volants[2], les
245 comètes, les éclairs, le tonnerre, la foudre, la pluie, la neige, la
grêle, les vents et les tourbillons[3].

MONSIEUR JOURDAIN. – Il y a trop de tintamarre là-dedans, trop
de brouillamini[4].

MAÎTRE DE PHILOSOPHIE. – Que voulez-vous donc que je vous
250 apprenne ?

MONSIEUR JOURDAIN. – Apprenez-moi l'orthographe.

MAÎTRE DE PHILOSOPHIE. – Très volontiers.

MONSIEUR JOURDAIN. – Après vous m'apprendrez l'almanach[5],
pour savoir quand il y a de la lune et quand il n'y en a point.

255 MAÎTRE DE PHILOSOPHIE. – Soit. Pour bien suivre votre pensée et
traiter cette matière en philosophe, il faut commencer selon
l'ordre des choses, par une exacte connaissance de la nature
des lettres, et de la différente manière de les prononcer toutes.

---

1. **Bilieux** : colérique.
2. **Feux volants** : feux follets.
3. **Tourbillons** : tempêtes.
4. **Brouillamini** : confusion.
5. **L'almanach** : le calendrier.

● Au XVIIe siècle, on fait
relever de la physique
toutes les connaissances
relatives au monde matériel :
l'astronomie, la chimie,
la botanique, etc.

Et là-dessus j'ai à vous dire que les lettres sont divisées en voyelles,
260 ainsi dites voyelles parce qu'elles expriment les voix[1], et en
consonnes, ainsi appelées consonnes parce qu'elles sonnent avec
les voyelles, et ne font que marquer les diverses articulations
des voix. Il y a cinq voyelles ou voix : A, E, I, O, U●.

MONSIEUR JOURDAIN. – J'entends tout cela.

265 MAÎTRE DE PHILOSOPHIE. – La voix A se forme en ouvrant fort la
bouche : A.

MONSIEUR JOURDAIN. – A, A. Oui.

MAÎTRE DE PHILOSOPHIE. – La voix E se forme en rapprochant la
mâchoire d'en bas de celle d'en haut : A, E.

270 MONSIEUR JOURDAIN. – A, E, A, E. Ma foi ! oui. Ah ! que cela est
beau.

MAÎTRE DE PHILOSOPHIE. – Et la voix I en rapprochant encore
davantage les mâchoires l'une de l'autre, et écartant les deux
coins de la bouche vers les oreilles : A, E, I.

275 MONSIEUR JOURDAIN. – A, E, I, I, I, I. Cela est vrai. Vive la
science !

MAÎTRE DE PHILOSOPHIE. – La voix O se forme en rouvrant les
mâchoires, et rapprochant les lèvres par les deux coins, le haut
et le bas : O.

280 MONSIEUR JOURDAIN. – O, O. Il n'y a rien de plus juste. A, E, I, O,
I, O. Cela est admirable ! I, O, I, O.

MAÎTRE DE PHILOSOPHIE. – L'ouverture de la bouche fait justement comme un petit rond qui représente un O.

MONSIEUR JOURDAIN. – O, O, O. Vous avez raison, O. Ah ! la belle
285 chose que de savoir quelque chose !

● Dans cette leçon de phonétique,
Molière s'inspire du *Discours
physique de la parole*,
de l'académicien Cordemoy.

1. Voix : sons.

MAÎTRE DE PHILOSOPHIE. — La voix U se forme en rapprochant les dents sans les joindre entièrement, et allongeant les deux lèvres en dehors, les approchant aussi l'une de l'autre sans les joindre tout à fait : U.

290 MONSIEUR JOURDAIN. — U, U. Il n'y a rien de plus véritable : U.

MAÎTRE DE PHILOSOPHIE. — Vos deux lèvres s'allongent comme si vous faisiez la moue : d'où vient que si vous la voulez faire à quelqu'un, et vous moquer de lui, vous ne sauriez lui dire que : U.

MONSIEUR JOURDAIN. — U, U. Cela est vrai. Ah ! que n'ai-je étudié
295 plus tôt, pour savoir tout cela ?

MAÎTRE DE PHILOSOPHIE. — Demain, nous verrons les autres lettres, qui sont les consonnes.

MONSIEUR JOURDAIN. — Est-ce qu'il y a des choses aussi curieuses qu'à celles-ci ?

300 MAÎTRE DE PHILOSOPHIE. — Sans doute. La consonne D, par exemple, se prononce en donnant du bout de la langue au-dessus des dents d'en haut ! DA.

MONSIEUR JOURDAIN. — DA, DA. Oui. Ah ! les belles choses ! les belles choses !

305 MAÎTRE DE PHILOSOPHIE. — L'F en appuyant les dents d'en haut sur la lèvre de dessous : FA.

MONSIEUR JOURDAIN. — FA, FA. C'est la vérité. Ah ! mon père et ma mère, que je vous veux de mal !

MAÎTRE DE PHILOSOPHIE. — Et l'R, en portant le bout de la langue
310 jusqu'au haut du palais, de sorte qu'étant frôlée par l'air qui sort avec force, elle lui cède, et revient toujours au même endroit, faisant une manière de tremblement : RRA.

MONSIEUR JOURDAIN. — R, R, RA, R, R, R, R, RRA. Cela est vrai. Ah ! l'habile homme que vous êtes ! et que j'ai perdu de temps !
315 R, R, R, RA.

MAÎTRE DE PHILOSOPHIE. – Je vous expliquerai à fond toutes ces
   curiosités.

MONSIEUR JOURDAIN. – Je vous en prie. Au reste, il faut que je
   vous fasse une confidence. Je suis amoureux d'une personne
320 de grande qualité, et je souhaiterais que vous m'aidassiez à
   lui écrire quelque chose dans un petit billet que je veux laisser
   tomber à ses pieds.

MAÎTRE DE PHILOSOPHIE. – Fort bien.

MONSIEUR JOURDAIN. – Cela sera galant, oui ?

325 MAÎTRE DE PHILOSOPHIE. – Sans doute. Sont-ce des vers que vous
   lui voulez écrire ?

MONSIEUR JOURDAIN. – Non, non, point de vers.

MAÎTRE DE PHILOSOPHIE. – Vous ne voulez que de la prose ?

MONSIEUR JOURDAIN. – Non, je ne veux ni prose ni vers.

330 MAÎTRE DE PHILOSOPHIE. – Il faut bien que ce soit l'un ou l'autre.

MONSIEUR JOURDAIN. – Pourquoi ?

MAÎTRE DE PHILOSOPHIE. – Par la raison, monsieur, qu'il n'y a
   pour s'exprimer que la prose ou les vers.

MONSIEUR JOURDAIN. – Il n'y a que la prose ou les vers ?

335 MAÎTRE DE PHILOSOPHIE. – Non, monsieur : tout ce qui n'est point
   prose est vers ; et tout ce qui n'est point vers est prose.

MONSIEUR JOURDAIN. – Et comme l'on parle, qu'est-ce que c'est
   donc que cela ?

MAÎTRE DE PHILOSOPHIE. – De la prose.

340 MONSIEUR JOURDAIN. – Quoi ? quand je dis : « Nicole, apportez-
   moi mes pantoufles et me donnez mon bonnet de nuit », c'est
   de la prose ?

MAÎTRE DE PHILOSOPHIE. – Oui, monsieur.

MONSIEUR JOURDAIN. – Par ma foi ! il y a plus de quarante ans
345 que je dis de la prose sans que j'en susse rien, et je vous suis le

plus obligé du monde de m'avoir appris cela. Je voudrais donc lui mettre dans un billet : *Belle marquise, vos beaux yeux me font mourir d'amour* ; mais je voudrais que cela fût mis d'une manière galante, que cela fût tourné gentiment.

350 MAÎTRE DE PHILOSOPHIE. – Mettre que les feux de ses yeux réduisent votre cœur en cendres ; que vous souffrez nuit et jour pour elle les violences d'un...

MONSIEUR JOURDAIN. – Non, non, non, je ne veux point tout cela ; je ne veux que ce que je vous ai dit : *Belle marquise, vos beaux* 355 *yeux me font mourir d'amour.*

MAÎTRE DE PHILOSOPHIE. – Il faut bien étendre un peu la chose.

MONSIEUR JOURDAIN. – Non, vous dis-je, je ne veux que ces seules paroles-là dans le billet ; mais tournées à la mode, bien arrangées comme il faut. Je vous prie de me dire un peu, pour voir, 360 les diverses manières dont on les peut mettre.

MAÎTRE DE PHILOSOPHIE. – On les peut mettre premièrement comme vous avez dit : *Belle marquise, vos beaux yeux me font mourir d'amour.* Ou bien : *D'amour mourir me font, belle marquise, vos beaux yeux.* Ou bien : *Vos yeux beaux d'amour me font,* 365 *belle marquise, mourir.* Ou bien : *Mourir vos beaux yeux, belle marquise, d'amour me font.* Ou bien : *Me font vos yeux beaux mourir, belle marquise, d'amour.*

MONSIEUR JOURDAIN. – Mais de toutes ces façons-là, laquelle est la meilleure ?

370 MAÎTRE DE PHILOSOPHIE. – Celle que vous avez dite : *Belle marquise, vos beaux yeux me font mourir d'amour.*

MONSIEUR JOURDAIN. – Cependant je n'ai point étudié, et j'ai fait cela tout du premier coup. Je vous remercie de tout mon cœur, et vous prie de venir demain de bonne heure.

375 MAÎTRE DE PHILOSOPHIE. – Je n'y manquerai pas.

MONSIEUR JOURDAIN, *à son laquais*. – Comment ? mon habit n'est
point encore arrivé ?

SECOND LAQUAIS. – Non, monsieur.

MONSIEUR JOURDAIN. – Ce maudit tailleur me fait bien attendre
380   pour un jour où j'ai tant d'affaires. J'enrage. Que la fièvre quartaine[1] puisse serrer[2] bien fort le bourreau de tailleur ! Au diable
le tailleur ! La peste étouffe le tailleur ! Si je le tenais maintenant, ce tailleur détestable, ce chien de tailleur-là, ce traître de
tailleur, je...

SCÈNE 5 – MAÎTRE TAILLEUR, GARÇON TAILLEUR, *portant l'habit
de M. Jourdain*, MONSIEUR JOURDAIN, LAQUAIS

385 MONSIEUR JOURDAIN. – Ah vous voilà ! je m'allais mettre en colère
contre vous.

MAÎTRE TAILLEUR. – Je n'ai pas pu venir plus tôt, et j'ai mis vingt
garçons après votre habit.

MONSIEUR JOURDAIN. – Vous m'avez envoyé des bas de soie si
390   étroits, que j'ai eu toutes les peines du monde à les mettre, et il
y a déjà deux mailles de rompues.

MAÎTRE TAILLEUR. – Ils ne s'élargiront que trop.

MONSIEUR JOURDAIN. – Oui, si je romps toujours des mailles.
Vous m'avez aussi fait faire des souliers qui me blessent furieu-
395   sement[3].

MAÎTRE TAILLEUR. – Point du tout, monsieur.

MONSIEUR JOURDAIN. – Comment, point du tout ?

---

1. **Fièvre quartaine** : fièvre intermittente.
2. **Serrer** : attaquer.
3. **Furieusement** : terriblement.

MAÎTRE TAILLEUR. – Non, ils ne vous blessent point.

MONSIEUR JOURDAIN. – Je vous dis qu'ils me blessent, moi.

400 MAÎTRE TAILLEUR. – Vous vous imaginez cela.

MONSIEUR JOURDAIN. – Je me l'imagine, parce que je le sens. Voyez la belle raison !

MAÎTRE TAILLEUR. – Tenez, voilà le plus bel habit de la cour, et le mieux assorti. C'est un chef-d'œuvre que d'avoir inventé un
405 habit sérieux qui ne fût pas noir ; et je le donne en six coups[1] aux tailleurs les plus éclairés.

MONSIEUR JOURDAIN. – Qu'est-ce que c'est que ceci ? Vous avez mis les fleurs en enbas[2].

MAÎTRE TAILLEUR. – Vous ne m'aviez pas dit que vous les vouliez
410 en enhaut.

MONSIEUR JOURDAIN. – Est-ce qu'il faut dire cela ?

MAÎTRE TAILLEUR. – Oui, vraiment. Toutes les personnes de qualité les portent de la sorte.

MONSIEUR JOURDAIN. – Les personnes de qualité portent les
415 fleurs en enbas ?

MAÎTRE TAILLEUR. – Oui, monsieur.

MONSIEUR JOURDAIN. – Oh ! voilà qui est donc bien.

MAÎTRE TAILLEUR. – Si vous voulez, je les mettrai en enhaut.

MONSIEUR JOURDAIN. – Non, non.

420 MAÎTRE TAILLEUR. – Vous n'avez qu'à dire.

MONSIEUR JOURDAIN. – Non, vous dis-je ; vous avez bien fait. Croyez-vous que l'habit m'aille bien ?

---

1. **Je le donne en six coups** : je défie de faire en six coups ce que j'ai fait du premier coup, formule empruntée au lexique du jeu. Le sens est : « Je mets au défi le meilleur tailleur de réaliser un plus bel habit que le mien ».
2. **En enbas** : à l'envers ; la tige de la fleur est en haut, alors que la corolle est en bas.

MAÎTRE TAILLEUR. – Belle demande ! Je défie un peintre, avec son
    pinceau, de vous faire rien de plus juste. J'ai chez moi un gar-
425 çon qui, pour monter une rhingrave[1], est le plus grand génie
    du monde ; et un autre qui, pour assembler un pourpoint, est
    le héros de notre temps.

MONSIEUR JOURDAIN. – La perruque et les plumes sont-elles
    comme il faut ?

430 MAÎTRE TAILLEUR. – Tout est bien.

MONSIEUR JOURDAIN, *en regardant l'habit du tailleur*. – Ah ! ah !
    monsieur le tailleur, voilà de mon étoffe du dernier habit que
    vous m'avez fait. Je la reconnais bien.

MAÎTRE TAILLEUR. – C'est que l'étoffe me sembla si belle, que j'en
435 ai voulu lever[2] un habit pour moi.

MONSIEUR JOURDAIN. – Oui, mais il ne fallait pas le lever avec le mien.

MAÎTRE TAILLEUR. – Voulez-vous mettre votre habit ?

MONSIEUR JOURDAIN. – Oui, donnez-le moi.

MAÎTRE TAILLEUR. – Attendez. Cela ne va pas comme cela. J'ai
440 amené des gens pour vous habiller en cadence, et ces sortes
    d'habits se mettent avec cérémonie. Holà ! entrez, vous autres.
    Mettez cet habit à monsieur, de la manière que vous faites aux
    personnes de qualité.

(Quatre garçons tailleurs entrent, dont deux lui arrachent le haut-
445 *de-chausses de ses exercices, et deux autres la camisole, puis ils lui*
    mettent son habit neuf ; et monsieur Jourdain se promène entre eux,
    et leur montre son habit, pour voir s'il est bien. Le tout à la cadence de
    toute la symphonie[3].)

---

1. **Rhingrave** : culotte de cheval très ample, mise à la mode par
   un comte de la région rhénane (*Rheingraf*).
2. **J'en ai voulu lever un habit** : j'ai voulu y couper un morceau
   d'étoffe pour un habit.
3. **Symphonie** : concert d'instruments.

GARÇON TAILLEUR. – Mon gentilhomme●, donnez, s'il vous plaît,
450 aux garçons quelque chose pour boire.

MONSIEUR JOURDAIN. – Comment m'appelez-vous ?

GARÇON TAILLEUR. – Mon gentilhomme.

MONSIEUR JOURDAIN. – « Mon gentilhomme ! » Voilà ce que c'est
de se mettre en personne de qualité. Allez-vous-en demeurer
455 toujours habillé en bourgeois, on ne vous dira point : « Mon
gentilhomme ». Tenez[1], voilà pour « Mon gentilhomme ».

GARÇON TAILLEUR. – Monseigneur, nous vous sommes bien obligés[2].

MONSIEUR JOURDAIN. – « Monseigneur », oh, oh ! « Monseigneur ! » Attendez, mon ami : « Monseigneur » mérite quelque
460 chose et ce n'est pas une petite parole que « Monseigneur ».
Tenez, voilà ce que Monseigneur vous donne.

GARÇON TAILLEUR. – Monseigneur, nous allons boire tous à la
santé de Votre Grandeur.

MONSIEUR JOURDAIN. – « Votre Grandeur ! » Oh, oh, oh ! Atten-
465 dez, ne vous en allez pas. À moi « Votre Grandeur ! » *(Bas, à
part.)* Ma foi, s'il va jusqu'à l'Altesse, il aura toute la bourse.
(Haut.) Tenez, voilà pour Ma Grandeur.

GARÇON TAILLEUR. – Monseigneur, nous la remercions très hum-
blement de ses libéralités[3].

470 MONSIEUR JOURDAIN. – Il a bien fait : je lui allais tout donner.
*(Les quatre garçons tailleurs se réjouissent par une danse qui fait le
second intermède.)*

---

1. **Tenez** : M. Jourdain donne
un pourboire au garçon tailleur.
2. **Obligés** : reconnaissants.
3. **Libéralités** : marques de générosité.

● « Mon gentilhomme » est le titre donné aux nobles
de naissance ; « Monseigneur » l'est aux nobles
de très haut rang (duc, comte, évêque...) ;
« Votre Grandeur » est réservé aux plus grands
seigneurs du royaume, ce titre étant situé
juste en dessous de celui d'« Altesse », réservé
aux souverains et aux princes de sang.

Acte III

SCÈNE 1 – Monsieur Jourdain, laquais

MONSIEUR JOURDAIN. – Suivez-moi, que j'aille un peu montrer mon habit par la ville ; et surtout ayez soin tous deux de marcher immédiatement sur mes pas, afin qu'on voie bien que vous êtes à moi.

5 LAQUAIS. – Oui, monsieur.

MONSIEUR JOURDAIN. – Appelez-moi Nicole, que je lui donne quelques ordres. Ne bougez, la voilà.

SCÈNE 2 – Nicole, Monsieur Jourdain, laquais

MONSIEUR JOURDAIN. – Nicole !

NICOLE. – Plaît-il[1] ?

10 MONSIEUR JOURDAIN. – Écoutez.

NICOLE. – Hi, hi, hi, hi, hi !

MONSIEUR JOURDAIN. – Qu'as-tu à rire ?

NICOLE. – Hi, hi, hi, hi, hi, hi !

MONSIEUR JOURDAIN. – Que veut dire cette coquine-là ?

15 NICOLE. – Hi, hi, hi. Comme vous voilà bâti[2] ! Hi, hi, hi !

MONSIEUR JOURDAIN. – Comment donc ?

NICOLE. – Ah, ah ! mon Dieu ! Hi, hi, hi, hi, hi !

MONSIEUR JOURDAIN. – Quelle friponne est-ce là ! Te moques-tu de moi ?

---

1. **Plaît-il ?** Que voulez-vous ?
2. **Bâti :** déguisé.

20 NICOLE. – Nenni[1], monsieur, j'en serais bien fâchée. Hi, hi, hi, hi, hi, hi !

MONSIEUR JOURDAIN. – Je te baillerai[2] sur le nez, si tu ris davantage.

NICOLE. – Monsieur, je ne puis pas m'en empêcher. Hi, hi, hi, hi, hi, hi !

25 MONSIEUR JOURDAIN. – Tu ne t'arrêteras pas ?

NICOLE. – Monsieur, je vous demande pardon ; mais vous êtes si plaisant, que je ne saurais me tenir[3] de rire. Hi, hi, hi !

MONSIEUR JOURDAIN. – Mais voyez quelle insolence !

NICOLE. – Vous êtes tout à fait drôle comme cela. Hi, hi !

30 MONSIEUR JOURDAIN. – Je te...

NICOLE. – Je vous prie de m'excuser. Hi, hi, hi, hi !

MONSIEUR JOURDAIN. – Tiens, si tu ris encore le moins du monde, je te jure que je t'appliquerai sur la joue le plus grand soufflet[4] qui se soit jamais donné.

35 NICOLE. – Hé bien, monsieur, voilà qui est fait, je ne rirai plus.

MONSIEUR JOURDAIN. – Prends-y bien garde. Il faut que pour tantôt tu nettoies...

NICOLE. – Hi, hi !

MONSIEUR JOURDAIN. – Que tu nettoies comme il faut...

40 NICOLE. – Hi, hi !

MONSIEUR JOURDAIN. – Il faut, dis-je, que tu nettoies la salle, et...

NICOLE. – Hi, hi !

MONSIEUR JOURDAIN. – Encore !

NICOLE. – Tenez, monsieur, battez-moi plutôt et me laissez rire
45 tout mon soûl[5], cela me fera plus de bien. Hi, hi, hi, hi, hi !

---

1. **Nenni** : non (forme vieillie).
2. **Je te baillerai** : je te donnerai des coups.
3. **Me tenir** : me retenir.
4. **Soufflet** : gifle.
5. **Tout mon soûl** : autant que je veux.

MONSIEUR JOURDAIN. – J'enrage.

NICOLE. – De grâce, monsieur, je vous prie de me laisser rire. Hi, hi, hi !

MONSIEUR JOURDAIN. – Si je te prends...

50 NICOLE. – Monsieur... eur, je crèverai... ai, si je ne ris. Hi, hi, hi !

MONSIEUR JOURDAIN. – Mais a-t-on jamais vu une pendarde[1] comme celle-là ? Qui me vient rire insolemment au nez, au lieu de recevoir mes ordres ?

NICOLE. – Que voulez-vous que je fasse, monsieur ?

55 MONSIEUR JOURDAIN. – Que tu songes, coquine, à préparer ma maison pour la compagnie[2] qui doit venir tantôt.

NICOLE. – Ah, par ma foi ! je n'ai plus envie de rire ; et toutes vos compagnies font tant de désordre céans, que ce mot est assez pour me mettre en mauvaise humeur.

60 MONSIEUR JOURDAIN. – Ne dois-je point pour toi fermer ma porte à tout le monde ?

NICOLE. – Vous devriez au moins la fermer à certaines gens.

SCÈNE 3 – Madame Jourdain, Monsieur Jourdain, Nicole, laquais

MADAME JOURDAIN. – Ah ! ah ! voici une nouvelle histoire. Qu'est-ce que c'est donc, mon mari, que cet équipage-là[3] ? Vous
65 moquez-vous du monde, de vous être fait enharnacher[4] de la sorte ? et avez-vous envie qu'on se raille[5] partout de vous ?

1. **Pendarde** : mauvaise femme, digne d'être pendue.
2. **Compagnie** : réunion d'amis.
3. **Équipage-là** : habit-là.
4. **Enharnacher** : accoutrer.
5. **Qu'on se raille** : qu'on se moque.

MONSIEUR JOURDAIN. – Il n'y a que des sots et des sottes, ma femme, qui se railleront de moi.

MADAME JOURDAIN. – Vraiment on n'a pas attendu jusqu'à cette heure, et il y a longtemps que vos façons de faire donnent à rire à tout le monde.

MONSIEUR JOURDAIN. – Qui est donc tout ce monde-là, s'il vous plaît ?

MADAME JOURDAIN. – Tout ce monde-là est un monde qui a raison, et qui est plus sage que vous. Pour moi, je suis scandalisée de la vie que vous menez. Je ne sais plus ce que c'est que notre maison : on dirait qu'il est céans carême-prenant[1] tous les jours ; et dès le matin, de peur d'y manquer, on y entend des vacarmes de violons et de chanteurs, dont tout le voisinage se trouve incommodé.

NICOLE. – Madame parle bien. Je ne saurais plus voir mon ménage propre, avec cet attirail de gens que vous faites venir chez vous. Ils ont des pieds qui vont chercher de la boue dans tous les quartiers de la ville, pour l'apporter ici ; et la pauvre Françoise est presque sur les dents, à frotter les planchers que vos biaux[2] maîtres viennent crotter régulièrement tous les jours.

MONSIEUR JOURDAIN. – Ouais[3], notre servante Nicole, vous avez le caquet bien affilé[4] pour une paysanne.

MADAME JOURDAIN. – Nicole a raison et son sens[5] est meilleur que le vôtre. Je voudrais bien savoir ce que vous pensez faire d'un maître à danser à l'âge que vous avez.

---

1. **Carême-prenant** : mardi gras.
2. **Biaux** : beaux, en patois.
3. **Ouais** : interjection marquant la surprise, mais qui n'est pas vulgaire à l'époque de Molière.
4. **Vous avez le caquet bien affilé** : vous avez la langue bien pendue.
5. **Sens** : bon sens.

NICOLE. – Et d'un grand maître tireur d'armes, qui vient, avec ses battements de pied, ébranler toute la maison, et nous déraciner tous les carriaux[1] de notre salle● ?

95 MONSIEUR JOURDAIN. – Taisez-vous, ma servante, et ma femme.

MADAME JOURDAIN. – Est-ce que vous voulez apprendre à danser pour quand vous n'aurez plus de jambes ?

NICOLE. – Est-ce que vous avez envie de tuer quelqu'un ?

MONSIEUR JOURDAIN. – Taisez-vous, vous dis-je : vous êtes des 100 ignorantes l'une et l'autre, et vous ne savez pas les prérogatives[2] de tout cela.

MADAME JOURDAIN. – Vous devriez bien plutôt songer à marier votre fille, qui est en âge d'être pourvue[3].

MONSIEUR JOURDAIN. – Je songerai à marier ma fille quand il 105 se présentera un parti[4] pour elle, mais je veux songer aussi à apprendre les belles choses.

NICOLE. – J'ai encore ouï dire, madame, qu'il a pris aujourd'hui, pour renfort de potage[5], un maître de philosophie.

MONSIEUR JOURDAIN. – Fort bien : je veux avoir de l'esprit, et 110 savoir raisonner des choses parmi les honnêtes gens.

MADAME JOURDAIN. – N'irez-vous point l'un de ces jours au collège vous faire donner le fouet, à votre âge ?

MONSIEUR JOURDAIN. – Pourquoi non ? Plût à Dieu l'avoir tout à l'heure[6] le fouet, devant tout le monde, et savoir ce qu'on 115 apprend au collège !

---

1. **Carriaux** : carreaux, en patois.
2. **Prérogatives** : avantages.
3. **Pourvue** : mariée.
4. **Un parti** : un futur mari avantageux.
5. **Pour renfort de potage** : pour couronner le tout.
6. **Tout à l'heure** : tout de suite.

● Le comique qui repose sur l'imitation des accents a toujours existé. Dans de nombreuses pièces, Molière donne à entendre des paysans parlant le patois, afin de faire rire le public.

NICOLE. – Oui, ma foi ! cela vous rendrait la jambe bien mieux faite[1].

MONSIEUR JOURDAIN. – Sans doute[2].

MADAME JOURDAIN. – Tout cela est fort nécessaire pour conduire votre maison.

MONSIEUR JOURDAIN. – Assurément. Vous parlez toutes deux comme des bêtes, et j'ai honte de votre ignorance. *(À Mme Jourdain.)* Par exemple, savez-vous, vous, ce que c'est que vous dites à cette heure ?

MADAME JOURDAIN. – Oui, je sais que ce que je dis est fort bien dit, et que vous devriez songer à vivre d'autre sorte[3].

MONSIEUR JOURDAIN. – Je ne parle pas de cela. Je vous demande ce que c'est que les paroles que vous dites ici ?

MADAME JOURDAIN. – Ce sont des paroles bien sensées[4], et votre conduite ne l'est guère.

MONSIEUR JOURDAIN. – Je ne parle pas de cela, vous dis-je. Je vous demande : ce que je parle avec vous, ce que je vous dis à cette heure, qu'est-ce que c'est ?

MADAME JOURDAIN. – Des chansons[5].

MONSIEUR JOURDAIN. – Hé non ! ce n'est pas cela. Ce que nous disons tous deux, le langage que nous parlons à cette heure ?

MADAME JOURDAIN. – Hé bien ?

MONSIEUR JOURDAIN. – Comment est-ce que cela s'appelle ?

MADAME JOURDAIN. – Cela s'appelle comme on veut l'appeler.

MONSIEUR JOURDAIN. – C'est de la prose, ignorante.

MADAME JOURDAIN. – De la prose ?

---

1. **Cela vous rendrait la jambe bien mieux faite** : ça vous ferait une belle jambe !
2. **Sans doute** : assurément.
3. **D'autre sorte** : d'une autre façon, autrement.
4. **Sensées** : raisonnables.
5. **Chansons** : sottises.

MONSIEUR JOURDAIN. – Oui, de la prose. Tout ce qui est prose n'est point vers ; et tout ce qui n'est point vers n'est point prose•. Heu, voilà ce que c'est d'étudier. (À Nicole.) Et toi, sais-tu bien

145 comme il faut faire pour dire un U ?

NICOLE. – Comment ?

MONSIEUR JOURDAIN. – Oui. Qu'est-ce que tu fais quand tu dis un U ?

NICOLE. – Quoi ?

150 MONSIEUR JOURDAIN. – Dis un peu U, pour voir ?

NICOLE. – Hé bien, U.

MONSIEUR JOURDAIN. – Qu'est-ce que tu fais ?

NICOLE. – Je dis U.

MONSIEUR JOURDAIN. – Oui, mais quand tu dis U, qu'est-ce que

155 tu fais ?

NICOLE. – Je fais ce que vous me dites.

MONSIEUR JOURDAIN. – Ô l'étrange chose que d'avoir affaire à des bêtes ! Tu allonges les lèvres en dehors et approches la mâchoire d'en haut de celle d'en bas : U, vois-tu ? U. Je fais la

160 moue : U.

NICOLE. – Oui, cela est biau.

MADAME JOURDAIN. – Voilà qui est admirable•.

MONSIEUR JOURDAIN. – C'est bien autre chose, si vous aviez vu O, et DA, DA, et FA, FA.

165 MADAME JOURDAIN. – Qu'est-ce que c'est donc que tout ce galimatias-là¹ ?

---

1. **Galimatias** : charabia, propos confus.

● M. Jourdain, qui a mal retenu la leçon du Maître de philosophie, met une négation de trop.

● Notez l'ironie de Mme Jourdain face à l'émerveillement ridicule de son mari.

NICOLE.—- De quoi est-ce que tout cela guérit ?

MONSIEUR JOURDAIN. – J'enrage quand je vois des femmes ignorantes.

MADAME JOURDAIN. – Allez, vous devriez envoyer promener tous
170   ces gens-là, avec leurs fariboles[1].

NICOLE. – Et surtout ce grand escogriffe[2] de Maître d'armes, qui
remplit de poudre[3] tout mon ménage.

MONSIEUR JOURDAIN. – Ouais, ce Maître d'armes vous tient fort
au cœur. Je te veux faire voir ton impertinence tout à l'heure.
175   *(Il fait apporter les fleurets et en donne un à Nicole.)* Tiens. Raison
démonstrative, la ligne du corps. Quand on pousse en quarte,
on n'a qu'à faire cela, et quand on pousse en tierce, on n'a qu'à
faire cela. Voilà le moyen de n'être jamais tué ; et cela n'est-
il pas beau d'être assuré de son fait[4], quand on se bat contre
180   quelqu'un ? Là, pousse-moi un peu pour voir.

NICOLE. – Hé bien, quoi ? *(Nicole lui pousse plusieurs coups.)*

MONSIEUR JOURDAIN. – Tout beau, holà, oh ! doucement. Diantre
soit la coquine.

NICOLE. – Vous me dites de pousser.

185 MONSIEUR JOURDAIN. – Oui ; mais tu me pousses en tierce, avant
que de pousser en quarte, et tu n'as pas la patience que je pare[5].

MADAME JOURDAIN. – Vous êtes fou, mon mari, avec toutes vos
fantaisies, et cela vous est venu depuis que vous vous mêlez de
hanter[6] la noblesse.

190 MONSIEUR JOURDAIN. – Lorsque je hante la noblesse, je fais paraître
mon jugement, et cela est plus beau que de hanter votre bourgeoisie.

---

1. **Fariboles** : histoires futiles, sans intérêt et mensongères.
2. **Escogriffe** : terme péjoratif pour désigner un homme grand
   et maigre.
3. **Poudre** : poussière.
4. **De son fait** : de sa victoire.
5. **Que je pare** : que je me mette en défense.
6. **Hanter** : fréquenter.

MADAME JOURDAIN. – Çamon[1] vraiment ! il y a fort à gagner à fréquenter vos nobles, et vous avez bien opéré avec ce beau Monsieur le comte dont vous vous êtes embéguiné[2].

195 MONSIEUR JOURDAIN. – Paix ! Songez à ce que vous dites. Savez-vous bien, ma femme, que vous ne savez pas de qui vous parlez, quand vous parlez de lui ? C'est une personne d'importance plus que vous ne pensez, un seigneur que l'on considère à la cour, et qui parle au roi tout comme je vous parle•. N'est-ce pas une

200 chose qui m'est tout à fait honorable, que l'on voie venir chez moi si souvent une personne de cette qualité, qui m'appelle son cher ami, et me traite comme si j'étais son égal ? Il a pour moi des bontés qu'on ne devinerait jamais ; et, devant tout le monde, il me fait des caresses[3] dont je suis moi-même confus.

205 MADAME JOURDAIN. – Oui, il a des bontés pour vous, et vous fait des caresses, mais il vous emprunte votre argent.

MONSIEUR JOURDAIN. – Hé bien ! ne m'est-ce pas de l'honneur de prêter de l'argent à un homme de cette condition-là ? et puis-je faire moins pour un seigneur qui m'appelle son cher ami ?

210 MADAME JOURDAIN. – Et ce seigneur que fait-il pour vous ?

MONSIEUR JOURDAIN. – Des choses dont on serait étonné, si on les savait.

MADAME JOURDAIN. – Et quoi ?

MONSIEUR JOURDAIN. – Baste[4], je ne puis pas m'expliquer. Il suffit

215 que, si je lui ai prêté de l'argent, il me le rendra bien, et avant qu'il soit peu[5].

MADAME JOURDAIN. – Oui, attendez-vous à cela.

---

1. **Çamon** : interjection populaire signifiant « certainement ».
2. **Dont vous vous êtes embéguiné** : pour lequel vous vous êtes pris d'une amitié soudaine.
3. **Caresses** : marques d'amitié, politesses.
4. **Baste** : ça suffit !
5. **Avant qu'il soit peu** : bientôt.

● À Versailles, seuls les nobles de très haut rang ont l'autorisation de parler au roi.

MONSIEUR JOURDAIN. – Assurément : ne me l'a-t-il pas dit ?

MADAME JOURDAIN. – Oui, oui : il ne manquera pas d'y faillir[1].

220 MONSIEUR JOURDAIN. – Il m'a juré sa foi de gentilhomme.

MADAME JOURDAIN. – Chansons.

MONSIEUR JOURDAIN. – Ouais, vous êtes bien obstinée, ma femme. Je vous dis qu'il tiendra parole, j'en suis sûr.

MADAME JOURDAIN. – Et moi, je suis sûre que non, et que toutes
225 les caresses qu'il vous fait ne sont que pour vous enjôler.

MONSIEUR JOURDAIN. – Taisez-vous : le voici.

MADAME JOURDAIN. – Il ne nous faut plus que cela. Il vient peut-être encore vous faire quelque emprunt ; et il me semble que j'ai dîné[2] quand je le vois.

230 MONSIEUR JOURDAIN. – Taisez-vous, vous dis-je.

SCÈNE 4 – DORANTE, MONSIEUR JOURDAIN,
MADAME JOURDAIN, NICOLE

DORANTE. – Mon cher ami, monsieur Jourdain, comment vous portez-vous ?

MONSIEUR JOURDAIN. – Fort bien, monsieur, pour vous rendre mes petits services.

235 DORANTE. – Et madame Jourdain que voilà, comment se porte-t-elle ?

MADAME JOURDAIN. – Madame Jourdain se porte comme elle peut.

---

1. **Il ne manquera pas d'y faillir** : il ne manquera pas de se dérober à ses promesses.
2. **Il me semble que j'ai dîné** : expression qui signifie à peu près : « Ça me coupe l'appétit ».

DORANTE. – Comment, monsieur Jourdain ? vous voilà le plus propre[1] du monde !

240 MONSIEUR JOURDAIN. – Vous voyez.

DORANTE. – Vous avez tout à fait bon air avec cet habit, et nous n'avons point de jeunes gens à la cour qui soient mieux faits que vous.

MONSIEUR JOURDAIN. – Hay, hay.

245 MADAME JOURDAIN, *à part*. – Il le gratte par où il se démange[2].

DORANTE. – Tournez-vous. Cela est tout à fait galant.

MADAME JOURDAIN, *à part*. – Oui, aussi sot par-derrière que par-devant.

DORANTE. – Ma foi ! monsieur Jourdain, j'avais une impatience
250 étrange de vous voir. Vous êtes l'homme du monde que j'estime le plus, et je parlais de vous encore ce matin dans la chambre du roi.

MONSIEUR JOURDAIN. – Vous me faites beaucoup d'honneur, monsieur. *(À Mme Jourdain.)* Dans la chambre du roi !

255 DORANTE. – Allons, mettez[3]...

MONSIEUR JOURDAIN. – Monsieur, je sais le respect que je vous dois.

DORANTE. – Mon Dieu ! mettez : point de cérémonie entre nous, je vous prie.

MONSIEUR JOURDAIN. – Monsieur...

260 DORANTE. – Mettez, vous dis-je, monsieur Jourdain : vous êtes mon ami.

MONSIEUR JOURDAIN. – Monsieur, je suis votre serviteur.

DORANTE. – Je ne me couvrirai point, si vous ne vous couvrez.

1. **Propre** : élégant(e).
2. **Il le gratte [...] démange** : il le flatte (expression populaire).
3. **Mettez** : mettez votre chapeau, couvrez-vous (M. Jourdain l'a enlevé pour saluer).

MONSIEUR JOURDAIN, *se couvrant*. – J'aime mieux être incivil
265 qu'importun[1].

DORANTE. – Je suis votre débiteur[2], comme vous le savez.

MADAME JOURDAIN, *à part*. – Oui, nous ne le savons que trop.

DORANTE. – Vous m'avez généreusement prêté de l'argent en plusieurs occasions, et vous m'avez obligé[3] de la meilleure grâce
270 du monde, assurément.

MONSIEUR JOURDAIN. – Monsieur, vous vous moquez.

DORANTE. – Mais je sais rendre ce qu'on me prête, et reconnaître
les plaisirs qu'on me fait.

MONSIEUR JOURDAIN. – Je n'en doute point, monsieur.

275 DORANTE. – Je veux sortir d'affaire avec vous[4], et je viens ici pour
faire nos comptes ensemble.

MONSIEUR JOURDAIN, *bas, à Mme Jourdain*. – Hé bien ! vous voyez
votre impertinence, ma femme.

DORANTE. – Je suis homme qui aime à m'acquitter[5] le plus tôt
280 que je puis.

MONSIEUR JOURDAIN, *bas, à Mme Jourdain*. – Je vous le disais bien.

DORANTE. – Voyons un peu ce que je vous dois.

MONSIEUR JOURDAIN, *bas, à Mme Jourdain*. – Vous voilà, avec vos
soupçons ridicules.

285 DORANTE. – Vous souvenez-vous bien de tout l'argent que vous
m'avez prêté ?

---

1. **J'aime mieux être incivil qu'importun** : formule banale
   de politesse bourgeoise qui signifie : « J'aime mieux être
   impoli que désagréable. »
2. **Je suis votre débiteur** : je vous dois de l'argent.
3. **Vous m'avez obligé** : vous m'avez rendu service.
4. **Je veux sortir d'affaire avec vous** : je veux régler la dette que
   j'ai contractée envers vous.
5. **M'acquitter** : payer, régler mes dettes.

MONSIEUR JOURDAIN. – Je crois que oui. J'en ai fait un petit mémoire. Le voici. Donné à vous une fois deux cents louis[1].

DORANTE. – Cela est vrai.

290 MONSIEUR JOURDAIN. – Une autre fois six-vingts[2].

DORANTE. – Oui.

MONSIEUR JOURDAIN. – Et une autre fois cent quarante.

DORANTE. – Vous avez raison.

MONSIEUR JOURDAIN. – Ces trois articles font quatre cent soixante
295 louis, qui valent cinq mille soixante livres.

DORANTE. – Le compte est fort bon. Cinq mille soixante livres.

MONSIEUR JOURDAIN. – Mille huit cent trente-deux livres à votre plumassier[3].

DORANTE. – Justement.

300 MONSIEUR JOURDAIN. – Deux mille sept cent quatre-vingts livres à votre tailleur.

DORANTE. – Il est vrai.

MONSIEUR JOURDAIN. – Quatre mille trois cent septante-neuf livres douze sols huit deniers à votre marchand.

305 DORANTE. – Fort bien. Douze sols huit deniers : le compte est juste.

MONSIEUR JOURDAIN. – Et mille sept cent quarante-huit livres sept sols quatre deniers à votre sellier[4].

DORANTE. – Tout cela est véritable. Qu'est-ce que cela fait ?

MONSIEUR JOURDAIN. – Somme totale, quinze mille huit cents livres.

310 DORANTE. – Somme totale est juste : quinze mille huit cents livres. Mettez encore deux cents pistoles[5] que vous m'allez

---

1. **Louis** : pièce d'or valant onze livres.
2. **Six-vingts** : cent vingt.
3. **Plumassier** : marchand de plumes destinées à l'ornement des chapeaux.
4. **Sellier** : artisan qui fabrique des objets en cuir.
5. **Pistoles** : monnaie d'or valant autant que les louis.

onner, cela fera justement dix-huit mille francs, que je vous paierai au premier jour.

MADAME JOURDAIN, *bas, à M. Jourdain.* – Eh bien ! ne l'avais-je pas bien deviné ?

MONSIEUR JOURDAIN, *bas, à Mme Jourdain.* – Paix !

DORANTE. – Cela vous incommodera-t-il de me donner ce que je vous dis ?

MONSIEUR JOURDAIN. – Eh non !

MADAME JOURDAIN, *bas, à M. Jourdain.* – Cet homme-là fait de vous une vache à lait.

MONSIEUR JOURDAIN, *bas, à Mme Jourdain.* – Taisez-vous.

DORANTE. – Si cela vous incommode, j'en irai chercher ailleurs.

MONSIEUR JOURDAIN. – Non, monsieur.

MADAME JOURDAIN, *bas, à M. Jourdain.* – Il ne sera pas content, qu'il ne vous ait ruiné.

MONSIEUR JOURDAIN, *bas, à Mme Jourdain.* – Taisez-vous, vous dis-je.

DORANTE. – Vous n'avez qu'à me dire si cela vous embarrasse.

MONSIEUR JOURDAIN. – Point, monsieur.

MADAME JOURDAIN, *bas, à M. Jourdain.* – C'est un vrai enjôleux[1].

MONSIEUR JOURDAIN, *bas, à Mme Jourdain.* – Taisez-vous donc.

MADAME JOURDAIN, *bas, à M. Jourdain.* – Il vous sucera jusqu'au dernier sou.

MONSIEUR JOURDAIN, *bas, à Mme Jourdain.* – Vous tairez-vous ?

DORANTE. – J'ai force[2] gens qui m'en prêteraient avec joie ; mais comme vous êtes mon meilleur ami, j'ai cru que je vous ferais tort si j'en demandais à quelque autre.

---

1. **Enjôleux** : qui flatte pour tromper.
2. **Force gens** : de nombreuses personnes.

MONSIEUR JOURDAIN. – C'est trop d'honneur, monsieur, que vous
340   me faites. Je vais quérir[1] votre affaire.

MADAME JOURDAIN, *bas, à M. Jourdain.* – Quoi ? vous allez encore
lui donner cela ?

MONSIEUR JOURDAIN, *bas, à Mme Jourdain.* – Que faire ? Voulez-
vous que je refuse un homme de cette condition-là, qui a parlé
345   de moi ce matin dans la chambre du roi ?

MADAME JOURDAIN, *bas, à M. Jourdain.* – Allez, vous êtes une
vraie dupe[2].

SCÈNE 5 – DORANTE, MADAME JOURDAIN, NICOLE

DORANTE. – Vous me semblez toute mélancolique[3] : qu'avez-vous,
madame Jourdain ?

350 MADAME JOURDAIN. – J'ai la tête plus grosse que le poing et si[4] elle
n'est pas enflée.

DORANTE. – Mademoiselle votre fille, où est-elle, que je ne la vois
point ?

MADAME JOURDAIN. – Mademoiselle ma fille est bien où elle est.

355 DORANTE. – Comment se porte-t-elle ?

MADAME JOURDAIN. – Elle se porte sur ses deux jambes.

DORANTE. – Ne voulez-vous point, un de ces jours, venir voir, avec
elle, le ballet et la comédie que l'on fait chez le roi ?

MADAME JOURDAIN. – Oui, vraiment, nous avons fort envie de
360   rire, fort envie de rire nous avons.

---

1. **Quérir** : chercher.
2. **Dupe** : facile à tromper.
3. **Mélancolique** : d'humeur sombre.
4. **Si** : pourtant.

DORANTE. – Je pense, madame Jourdain, que vous avez eu bien des amants[1] dans votre jeune âge, belle et d'agréable humeur comme vous étiez.

MADAME JOURDAIN. – Tredame[2] ! monsieur, est-ce que madame Jourdain est décrépite[3], et la tête lui grouille-t-elle[4] déjà ?

DORANTE. – Ah ! ma foi ! madame Jourdain, je vous demande pardon. Je ne songeais pas que vous êtes jeune, et je rêve[5] le plus souvent. Je vous prie d'excuser mon impertinence.

SCÈNE 6 – MONSIEUR JOURDAIN, MADAME JOURDAIN, DORANTE, NICOLE

MONSIEUR JOURDAIN. – Voilà deux cents louis bien comptés.

DORANTE. – Je vous assure, monsieur Jourdain, que je suis tout à vous, et que je brûle de vous rendre un service à la cour.

MONSIEUR JOURDAIN. – Je vous suis trop obligé.

DORANTE. – Si madame Jourdain veut voir le divertissement royal[6], je lui ferai donner les meilleures places de la salle.

MADAME JOURDAIN. – Madame Jourdain vous baise les mains[7].

DORANTE, *bas, à M. Jourdain*. – Notre belle marquise, comme je vous ai mandé[8] par mon billet, viendra tantôt ici pour le ballet et le repas, et je l'ai fait consentir enfin au cadeau que vous lui voulez donner.

---

1. **Amants** : prétendants, amoureux.
2. **Tredame** : interjection populaire qui signifie « Par Notre Dame ! »
3. **Décrépite** : vieille.
4. **Lui grouille-t-elle** : lui tremble-t-elle.
5. **Je rêve** : je suis distrait, je ne réfléchis pas à ce que je dis.
6. **Divertissement royal** : pièce de théâtre avec musique et ballets.
7. **Madame Jourdain vous baise les mains** : Madame Jourdain vous remercie (formule ironique).
8. **Mander** : faire savoir.

380 MONSIEUR JOURDAIN. – Tirons-nous[1] un peu plus loin, pour causer.

DORANTE. – Il y a huit jours que je ne vous ai vu, et je ne vous ai point mandé de nouvelles du diamant que vous me mîtes entre les mains pour lui en faire présent de votre part ; mais c'est que j'ai eu toutes les peines du monde à vaincre son scrupule, et ce

385 n'est que d'aujourd'hui qu'elle s'est résolue à l'accepter.

MONSIEUR JOURDAIN. – Comment l'a-t-elle trouvé ?

DORANTE. – Merveilleux ; et je me trompe fort, ou la beauté de ce diamant fera pour vous sur son esprit un effet admirable.

MONSIEUR JOURDAIN. – Plût au Ciel !

390 MADAME JOURDAIN, à Nicole. – Quand il est une fois avec lui, il ne peut le quitter.

DORANTE. – Je lui ai fait valoir comme il faut la richesse de ce présent et la grandeur de votre amour.

MONSIEUR JOURDAIN. – Ce sont, monsieur, des bontés qui m'accablent ;

395 et je suis dans une confusion la plus grande du monde, de voir une personne de votre qualité s'abaisser pour moi à ce que vous faites.

DORANTE. – Vous moquez-vous ? est-ce qu'entre amis on s'arrête à ces sortes de scrupules ? et ne feriez-vous pas pour moi la

400 même chose, si l'occasion s'en offrait ?

MONSIEUR JOURDAIN. – Ho ! assurément, et de très grand cœur.

MADAME JOURDAIN, à Nicole. – Que sa présence me pèse sur les épaules !

DORANTE. – Pour moi, je ne regarde rien, quand il faut servir

405 un ami ; et lorsque vous me fîtes confidence de l'ardeur que vous aviez prise pour cette marquise agréable chez qui j'avais

---

1. **Tirons-nous [...] pour causer** : retirons-nous à cause de la présence de ma femme et de Nicole.

commerce[1], vous vîtes que d'abord je m'offris de moi-même à servir votre amour.

MONSIEUR JOURDAIN. – Il est vrai, ce sont des bontés qui me
410 confondent.

MADAME JOURDAIN, *à Nicole*. – Est-ce qu'il ne s'en ira point ?

NICOLE. – Ils se trouvent bien ensemble.

DORANTE. – Vous avez pris le bon biais[2] pour toucher son cœur :
les femmes aiment surtout les dépenses qu'on fait pour elles ;
415 et vos fréquentes sérénades, et vos bouquets continuels, ce
superbe feu d'artifice qu'elle trouva sur l'eau, le diamant qu'elle
a reçu de votre part, et le cadeau que vous lui préparez, tout cela
lui parle bien mieux en faveur de votre amour que toutes les
paroles que vous auriez pu lui dire vous-même.

420 MONSIEUR JOURDAIN. – Il n'y a point de dépenses que je ne fisse,
si par là je pouvais trouver le chemin de son cœur. Une femme
de qualité a pour moi des charmes ravissants, et c'est un honneur que j'achèterais au prix de toute chose.

MADAME JOURDAIN, *à Nicole*. – Que peuvent-ils tant dire ensemble ?
425 Va-t'en un peu tout doucement prêter l'oreille.

DORANTE. – Ce sera tantôt[3] que vous jouirez à votre aise du plaisir
de sa vue, et vos yeux auront tout le temps de se satisfaire.

MONSIEUR JOURDAIN. – Pour être en pleine liberté, j'ai fait en
sorte que ma femme ira dîner[4] chez ma sœur, où elle passera
430 toute l'après-dînée[5].

DORANTE. – Vous avez fait prudemment, et votre femme aurait
pu nous embarrasser. J'ai donné pour vous l'ordre qu'il faut au

---

1. **J'avais commerce** : j'entretenais des relations.
2. **Biais** : moyen.
3. **Tantôt** : bientôt.
4. **Dîner** : déjeuner.
5. **L'après-dîner** : l'après-midi.

cuisinier, et à toutes les choses qui sont nécessaires pour le ballet. Il est de mon invention ; et pourvu que l'exécution puisse
435 répondre à l'idée, je suis sûr qu'il sera trouvé...

MONSIEUR JOURDAIN *s'aperçoit que Nicole écoute, et lui donne un soufflet*. – Ouais, vous êtes bien impertinente. Sortons, s'il vous plaît.

SCÈNE 7 – MADAME JOURDAIN, NICOLE

NICOLE. – Ma foi ! Madame, la curiosité m'a coûté quelque chose ;
mais je crois qu'il y a quelque anguille sous roche, et ils parlent
440 de quelque affaire où ils ne veulent pas que vous soyez.

MADAME JOURDAIN. – Ce n'est pas d'aujourd'hui, Nicole, que j'ai
conçu des soupçons de mon mari. Je suis la plus trompée du
monde, ou il y a quelque amour en campagne[1], et je travaille
à découvrir ce que ce peut être. Mais songeons à ma fille. Tu
445 sais l'amour que Cléonte a pour elle. C'est un homme qui me
revient[2], et je veux aider sa recherche, et lui donner Lucile, si
je puis.

NICOLE. – En vérité, madame, je suis la plus ravie du monde de
vous voir dans ces sentiments ; car, si le maître vous revient,
450 le valet ne me revient pas moins, et je souhaiterais que notre
mariage se pût faire à l'ombre du leur.

MADAME JOURDAIN. – Va-t'en lui parler de ma part, et lui dire que
tout à l'heure il me vienne trouver, pour faire ensemble à mon
mari la demande de ma fille.

455 NICOLE. – J'y cours, madame, avec joie, et je ne pouvais recevoir une
commission plus agréable. Je vais, je pense, bien réjouir les gens.

---

1. **En campagne** : en train.
2. **Qui me revient** : qui me plaît.

SCÈNE 8 – CLÉONTE, COVIELLE, NICOLE

NICOLE. – Ah ! vous voilà tout à propos. Je suis une ambassadrice de joie, et je viens...

CLÉONTE. – Retire-toi, perfide, et ne me viens point amuser avec tes traîtresses paroles.

NICOLE. – Est-ce ainsi que vous recevez...

CLÉONTE. – Retire-toi, te dis-je, et va-t'en dire de ce pas à ton infidèle maîtresse qu'elle n'abusera de sa vie le trop simple Cléonte.

NICOLE. – Quel vertigo[1] est-ce donc là ? Mon pauvre Covielle, dis-moi un peu ce que cela veut dire.

COVIELLE. – Ton pauvre Covielle, petite scélérate ! Allons vite, ôte-toi de mes yeux, vilaine, et me laisse en repos.

NICOLE. – Quoi ? tu me viens aussi...

COVIELLE. – Ôte-toi de mes yeux, te dis-je, et ne me parle de ta vie.

NICOLE. – Ouais ! Quelle mouche les a piqués tous deux ? Allons de cette belle histoire informer ma maîtresse.

SCÈNE 9 – CLÉONTE, COVIELLE

CLÉONTE. – Quoi ? traiter un amant[2] de la sorte, et un amant le plus fidèle et le plus passionné de tous les amants ?

COVIELLE. – C'est une chose épouvantable, que ce qu'on nous fait à tous deux.

---

1. **Vertigo** : folie.
2. **Amant** : qui aime et est aimé.

CLÉONTE. – Je fais voir pour une personne toute l'ardeur et toute la tendresse qu'on peut imaginer ; je n'aime rien au monde qu'elle, et je n'ai qu'elle dans l'esprit ; elle fait tous mes soins, tous mes désirs, toute ma joie ; je ne parle que d'elle, je ne pense qu'à elle, je ne fais des songes que d'elle, je ne respire que par elle, mon cœur vit tout en elle : et voilà de tant d'amitié[1] la digne récompense ! Je suis deux jours sans la voir, qui sont pour moi des siècles effroyables : je la rencontre par hasard ; mon cœur, à cette vue, se sent tout transporté, ma joie éclate sur mon visage, je vole avec ravissement vers elle ; et l'infidèle détourne de moi ses regards, et passe brusquement, comme si de sa vie elle ne m'avait vu● !

COVIELLE. – Je dis les mêmes choses que vous.

CLÉONTE. – Peut-on voir rien d'égal, Covielle, à cette perfidie de l'ingrate Lucile ?

COVIELLE. – Et à celle, monsieur, de la pendarde de Nicole ?

CLÉONTE. – Après tant de sacrifices ardents, de soupirs, et de vœux que j'ai faits à ses charmes !

COVIELLE. – Après tant d'assidus hommages, de soins et de services que je lui ai rendus dans sa cuisine !

CLÉONTE. – Tant de larmes que j'ai versées à ses genoux !

COVIELLE. – Tant de seaux d'eau que j'ai tirés au puits pour elle !

CLÉONTE. – Tant d'ardeur que j'ai fait paraître à la chérir plus que moi-même !

---

1. Amitié : amour.

● Les scènes de dépit amoureux sont fréquentes dans le théâtre de Molière. Elles naissent le plus souvent d'un malentendu. Ici, Molière, se plaît à mettre en scène deux amoureux – le maître et le valet – , en tirant des effets comiques du décalage entre les façons qu'ont l'un et l'autre d'exprimer leur désarroi.

COVIELLE. – Tant de chaleur que j'ai soufferte à tourner la broche à sa place !

CLÉONTE. – Elle me fuit avec mépris !

COVIELLE. – Elle me tourne le dos avec effronterie !

505 CLÉONTE. – C'est une perfidie digne des plus grands châtiments.

COVIELLE. – C'est une trahison à mériter mille soufflets[1].

CLÉONTE. – Ne t'avise point, je te prie, de me parler jamais pour elle.

COVIELLE. – Moi, monsieur ! Dieu m'en garde !

510 CLÉONTE. – Ne viens point m'excuser l'action de cette infidèle.

COVIELLE. – N'ayez pas peur.

CLÉONTE. – Non, vois-tu, tous tes discours pour la défendre ne serviront de rien.

COVIELLE. – Qui songe à cela ?

515 CLÉONTE. – Je veux contre elle conserver mon ressentiment, et rompre ensemble tout commerce.

COVIELLE. – J'y consens.

CLÉONTE. – Ce monsieur le Comte qui va chez elle lui donne peut-être dans la vue[2] ; et son esprit, je le vois bien, se laisse
520 éblouir à la qualité. Mais il me faut, pour mon honneur, prévenir l'éclat[3] de son inconstance. Je veux faire autant de pas qu'elle au changement où je la vois courir, et ne lui laisser pas toute la gloire de me quitter.

COVIELLE. – C'est fort bien dit, et j'entre pour mon compte dans
525 tous vos sentiments.

CLÉONTE. – Donne la main[4] à mon dépit, et soutiens ma résolution contre tous les restes d'amour qui me pourraient parler

1. **Soufflets** : gifles.
2. **Lui donne dans la vue** : l'impressionne.
3. **Prévenir l'éclat** : empêcher le scandale.
4. **Donne la main** : porte secours.

pour elle. Dis-m'en, je t'en conjure, tout le mal que tu pourras ;
fais-moi de sa personne une peinture qui me la rende méprisable ; et marque-moi bien, pour m'en dégoûter, tous les défauts
530 que tu peux voir en elle.

COVIELLE. – Elle, monsieur ! voilà une belle mijaurée[1], une pimpesouée[2] bien bâtie, pour vous donner tant d'amour ! Je ne
lui vois rien que de très médiocre, et vous trouverez cent personnes qui seront plus dignes de vous. Premièrement, elle a
535 les yeux petits.

CLÉONTE. – Cela est vrai, elle a les yeux petits ; mais elle les a
pleins de feux, les plus brillants, les plus perçants du monde,
les plus touchants qu'on puisse voir.

540 COVIELLE. – Elle a la bouche grande.

CLÉONTE. – Oui ; mais on y voit des grâces qu'on ne voit point
aux autres bouches ; et cette bouche, en la voyant, inspire des
désirs, est la plus attrayante, la plus amoureuse du monde.

COVIELLE. – Pour sa taille, elle n'est pas grande.

545 CLÉONTE. – Non ; mais elle est aisée et bien prise.

COVIELLE. – Elle affecte une nonchalance dans son parler, et dans
ses actions.

CLÉONTE. – Il est vrai ; mais elle a grâce à tout cela, et ses manières
sont engageantes, ont je ne sais quel charme à s'insinuer dans
550 les cœurs.

COVIELLE. – Pour de l'esprit...

CLÉONTE. – Ah ! elle en a, Covielle, du plus fin, du plus délicat.

COVIELLE. – Sa conversation...

CLÉONTE. – Sa conversation est charmante.

555 COVIELLE. – Elle est toujours sérieuse.

1. **Mijaurée** : prétentieuse.
2. **Pimpesouée** : femme coquette, aguicheuse.

CLÉONTE. – Veux-tu de ces enjouements épanouis, de ces joies toujours ouvertes ? et vois-tu rien de plus impertinent que des femmes qui rient à tout propos ?

COVIELLE. – Mais enfin elle est capricieuse autant que personne
560   du monde.

CLÉONTE. – Oui, elle est capricieuse, j'en demeure d'accord ; mais tout sied[1] bien aux belles, on souffre tout des belles.

COVIELLE. – Puisque cela va comme cela, je vois bien que vous avez envie de l'aimer toujours.

565 CLÉONTE. – Moi, j'aimerais mieux mourir ; et je vais la haïr autant que je l'ai aimée.

COVIELLE. – Le moyen, si vous la trouvez si parfaite ?

CLÉONTE. – C'est en quoi ma vengeance sera plus éclatante, en quoi je veux faire mieux voir la force de mon cœur : à la haïr, à
570   la quitter, toute belle, toute pleine d'attraits, toute aimable que je la trouve. La voici.

SCÈNE 10 – Cléonte, Lucile, Covielle, Nicole

NICOLE, *à Lucile.* – Pour moi, j'en ai été toute scandalisée.

LUCILE. – Ce ne peut être, Nicole, que ce que je te dis. Mais le voilà.

575 CLÉONTE, *à Covielle.* – Je ne veux pas seulement lui parler.

COVIELLE. – Je veux vous imiter.

LUCILE. – Qu'est-ce donc, Cléonte ? qu'avez-vous ?

NICOLE. – Qu'as-tu donc, Covielle ?

LUCILE. – Quel chagrin vous possède ?

580 NICOLE. – Quelle mauvaise humeur te tient ?

1. **Sied** : va.

LUCILE. – Êtes-vous muet, Cléonte ?

NICOLE. – As-tu perdu la parole, Covielle ?

CLÉONTE. – Que voilà qui est scélérat[1] !

COVIELLE. – Que cela est Judas[2] !

585 LUCILE. – Je vois bien que la rencontre de tantôt a troublé votre esprit.

CLÉONTE, *à Covielle.* – Ah ! ah ! on voit ce qu'on a fait.

NICOLE. – Notre accueil de ce matin t'a fait prendre la chèvre●.

COVIELLE, *à Cléonte.* – On a deviné l'enclouure[3].

590 LUCILE. – N'est-il pas vrai, Cléonte, que c'est là le sujet de votre dépit ?

CLÉONTE. – Oui, perfide, ce l'est, puisqu'il faut parler ; et j'ai à vous dire que vous ne triompherez pas comme vous pensez de votre infidélité, que je veux être le premier à rompre avecque

595 vous, et que vous n'aurez pas l'avantage de me chasser. J'aurai de la peine, sans doute, à vaincre l'amour que j'ai pour vous, cela me causera des chagrins, je souffrirai un temps, mais j'en viendrai à bout, et je me percerai plutôt le cœur, que d'avoir la faiblesse de retourner à vous.

600 COVIELLE, *à Nicole.* – Queussi, queumi[4].

LUCILE. – Voilà bien du bruit pour un rien. Je veux vous dire, Cléonte, le sujet qui m'a fait ce matin éviter votre abord.

CLÉONTE *fait semblant de s'en aller et tourne autour du théâtre.* – Non, je ne veux rien écouter.

---

1. **Scélérat** : méchant.
2. **Judas** : trompeur.
3. **Enclouure** : le point sensible.
4. **Queussi queumi** : pareil pour moi (expression picarde).

● Prendre la chèvre signifie « se fâcher ».
De nombreuses expressions figurées, en français, s'appuient encore, de nos jours, sur le lexique animal : prendre la mouche, prendre le taureau par les cornes, rire comme une baleine, bâiller comme une huître…

605 NICOLE, *à Covielle.* – Je te veux apprendre la cause qui nous a fait passer si vite.

COVIELLE, *voulant aussi s'en aller pour éviter Nicole.* – Je ne veux rien entendre.

LUCILE *suit Cléonte.* – Sachez que ce matin...

610 CLÉONTE. – Non, vous dis-je.

NICOLE *suit Covielle.* – Apprends que...

COVIELLE. – Non, traîtresse.

LUCILE. – Écoutez.

CLÉONTE. – Point d'affaire.

615 NICOLE. – Laissez-moi dire.

COVIELLE. – Je suis sourd.

LUCILE. – Cléonte !

CLÉONTE. – Non.

NICOLE. – Covielle !

620 COVIELLE. – Point.

LUCILE. – Arrêtez.

CLÉONTE. – Chansons !

NICOLE. – Entends-moi.

COVIELLE. – Bagatelles !

625 LUCILE. – Un moment.

CLÉONTE. – Point du tout.

NICOLE. – Un peu de patience.

COVIELLE. – Tarare[1].

LUCILE. – Deux paroles.

630 CLÉONTE. – Non, c'en est fait.

NICOLE. – Un mot.

COVIELLE. – Plus de commerce[2].

---

1. **Tarare** : pas du tout !
2. **Plus de commerce** : n'en parlons plus.

LUCILE, *s'arrêtant*. – Hé bien ! puisque vous ne voulez pas m'écouter, demeurez dans votre pensée, et faites ce qu'il vous plaira.

635 NICOLE, *s'arrêtant aussi*. – Puisque tu fais comme cela, prends-le tout comme tu voudras.

CLÉONTE, *se retournant vers Lucile*. – Sachons donc le sujet d'un si bel accueil.

LUCILE, *s'en allant à son tour pour éviter Cléonte*. – Il ne me plaît
640 plus de le dire.

COVIELLE, *se retournant vers Nicole*. – Apprends-nous un peu cette histoire.

NICOLE, *s'en allant à son tour pour éviter Covielle*. – Je ne veux plus, moi, te l'apprendre.

645 CLÉONTE. – Dites-moi...

LUCILE. – Non, je ne veux rien dire.

COVIELLE. – Conte-moi...

NICOLE. – Non, je ne conte rien.

CLÉONTE. – De grâce.

650 LUCILE. – Non, vous dis-je.

COVIELLE. – Par charité.

NICOLE. – Point d'affaire.

CLÉONTE. – Je vous en prie.

LUCILE. – Laissez-moi.

655 COVIELLE. – Je t'en conjure.

NICOLE. – Ôte-toi de là.

CLÉONTE. – Lucile !

LUCILE. – Non.

COVIELLE. – Nicole !

660 NICOLE. – Point.

CLÉONTE. – Au nom des dieux !

LUCILE. – Je ne veux pas.

COVIELLE. – Parle-moi.

NICOLE. – Point du tout.

665 CLÉONTE. – Éclaircissez mes doutes.

LUCILE. – Non, je n'en ferai rien.

COVIELLE. – Guéris-moi l'esprit.

NICOLE. – Non, il ne me plaît pas.

CLÉONTE. – Hé bien ! puisque vous vous souciez si peu de me
670 tirer de peine, et de vous justifier du traitement indigne que
vous avez fait à ma flamme[1], vous me voyez, ingrate, pour
la dernière fois, et je vais loin de vous mourir de douleur et
d'amour.

COVIELLE, *à Nicole.* – Et moi, je vais suivre ses pas.

675 LUCILE, *à Cléonte, qui veut sortir.* – Cléonte !

NICOLE, *à Covielle qui suit son maître.* – Covielle !

CLÉONTE, *s'arrêtant.* – Eh ?

COVIELLE, *s'arrêtant aussi.* – Plaît-il ?

LUCILE. – Où allez-vous ?

680 CLÉONTE. – Où je vous ai dit.

COVIELLE. – Nous allons mourir.

LUCILE. – Vous allez mourir, Cléonte ?

CLÉONTE. – Oui, cruelle, puisque vous le voulez.

LUCILE. – Moi, je veux que vous mouriez ?

685 CLÉONTE. – Oui, vous le voulez.

LUCILE. – Qui vous le dit ?

CLÉONTE, *s'approchant de Lucile.* – N'est-ce pas le vouloir, que ne
vouloir pas éclaircir mes soupçons ?

LUCILE. – Est-ce ma faute ? et si vous aviez voulu m'écouter, ne
690 vous aurais-je pas dit que l'aventure dont vous vous plaigniez a
été causée ce matin par la présence d'une vieille tante, qui veut

---

1. **Flamme** : amour.

à toute force que la seule approche d'un homme déshonore une fille, qui perpétuellement nous sermonne sur ce chapitre, et nous figure[1] tous les hommes comme des diables qu'il faut
695 fuir ?

NICOLE, *à Covielle.* – Voilà le secret de l'affaire.

CLÉONTE. – Ne me trompez-vous point, Lucile ?

COVIELLE, *à Nicole.* – Ne m'en donnes-tu point à garder[2] ?

LUCILE, *à Cléonte.* – Il n'est rien de plus vrai.

700 NICOLE, *à Covielle.* – C'est la chose comme elle est.

COVIELLE, *à Cléonte.* – Nous rendrons-nous à cela ?

CLÉONTE. – Ah ! Lucile, qu'avec un mot de votre bouche vous savez apaiser de choses dans mon cœur ! et que facilement on se laisse persuader aux[3] personnes qu'on aime !

705 COVIELLE. – Qu'on est aisément amadoué[4] par ces diantres d'animaux-là !

SCÈNE 11 – Madame Jourdain, Cléonte, Lucile, Covielle, Nicole

MADAME JOURDAIN. – Je suis bien aise de vous voir, Cléonte, et vous voilà tout à propos. Mon mari vient ; prenez vite votre temps[5] pour lui demander Lucile en mariage.

710 CLÉONTE. – Ah ! madame, que cette parole m'est douce, et qu'elle flatte mes désirs ! Pouvais-je recevoir un ordre plus charmant, une faveur plus précieuse ?

1. **Figure** : représente.
2. **Ne m'en [...] garder** : ne veux-tu pas me tromper ?
3. **Aux** : par les.
4. **Amadoué** : radouci.
5. **Prenez vite votre temps** : saisissez vite l'occasion.

SCÈNE 12 – Monsieur Jourdain, Madame Jourdain, Cléonte, Lucile, Covielle, Nicole

CLÉONTE. – Monsieur, je n'ai voulu prendre personne pour vous faire une demande que je médite il y a longtemps. Elle me tou-
715 che assez pour m'en charger moi-même ; et, sans autre détour, je vous dirai que l'honneur d'être votre gendre est une faveur glorieuse que je vous prie de m'accorder.

MONSIEUR JOURDAIN. – Avant que de vous rendre réponse, monsieur, je vous prie de me dire si vous êtes gentilhomme.

720 CLÉONTE. – Monsieur, la plupart des gens sur cette question n'hésitent pas beaucoup. On tranche le mot aisément[1]. Ce nom ne fait aucun scrupule à prendre, et l'usage aujourd'hui semble en autoriser le vol. Pour moi, je vous avoue, j'ai les sentiments sur cette matière un peu plus délicats ; je trouve que toute
725 imposture est indigne d'un honnête homme, et qu'il y a de la lâcheté à déguiser ce que le Ciel nous a fait naître, à se parer aux yeux du monde d'un titre dérobé, à se vouloir donner pour ce qu'on n'est pas. Je suis né de parents, sans doute, qui ont tenu des charges honorables. Je me suis acquis dans les armes
730 l'honneur de six ans de services, et je me trouve assez de bien pour tenir dans le monde un rang assez passable. Mais, avec tout cela, je ne veux point me donner un nom où d'autres en ma place croiraient pouvoir prétendre, et je vous dirai franchement que je ne suis point gentilhomme.

---

1. **On tranche le mot** : on règle la question.

735 MONSIEUR JOURDAIN. – Touchez là[1], monsieur : ma fille n'est pas pour vous●.

CLÉONTE. – Comment ?

MONSIEUR JOURDAIN. – Vous n'êtes point gentilhomme, vous n'aurez pas ma fille.

740 MADAME JOURDAIN. – Que voulez-vous donc dire avec votre gentilhomme ? est-ce que nous sommes, nous autres, de la côte de saint Louis[2] ?

MONSIEUR JOURDAIN. – Taisez-vous, ma femme : je vous vois venir.

745 MADAME JOURDAIN. – Descendons-nous tous deux que de bonne bourgeoisie● ?

MONSIEUR JOURDAIN. – Voilà pas le coup de langue[3] ?

MADAME JOURDAIN. – Et votre père n'était-il pas marchand aussi bien que le mien ?

750 MONSIEUR JOURDAIN. – Peste soit de la femme ! Elle n'y a jamais manqué. Si votre père a été marchand, tant pis pour lui ; mais pour le mien, ce sont des malavisés[4] qui disent cela. Tout ce que j'ai à vous dire, moi, c'est que je veux avoir un gendre gentilhomme.

755 MADAME JOURDAIN. – Il faut à votre fille un mari qui lui soit propre[5], et il vaut mieux pour elle un honnête homme riche et bien fait, qu'un gentilhomme gueux et mal bâti.

1. **Touchez là** : geste qui, habituellement, conclut un accord, mais qui, ici, exprime un refus.
2. **De la côte de saint Louis** : de haut lignage, descendants du roi saint Louis.
3. **Voilà pas le coup de langue** : n'est-ce pas une médisance ?
4. **Malavisés** : sots.
5. **Qui lui soit propre** : qui lui convienne.

● Au XVIIe siècle, ce sont les pères qui décident du mariage de leurs enfants. Une jeune fille ne peut pas se marier sans l'accord paternel.

● Mme Jourdain revendique ses origines bourgeoises et se moque des prétentions sociales de son mari.

NICOLE. – Cela est vrai. Nous avons le fils du gentilhomme de
notre village, qui est le plus grand malitorne[1] et le plus sot
760 dadais que j'aie jamais vu.

MONSIEUR JOURDAIN. – Taisez-vous, impertinente. Vous vous four-
rez toujours dans la conversation. J'ai du bien assez pour ma
fille, je n'ai besoin que d'honneur, et je la veux faire marquise.

MADAME JOURDAIN. – Marquise ?

765 MONSIEUR JOURDAIN. – Oui, marquise.

MADAME JOURDAIN. – Hélas ! Dieu m'en garde !

MONSIEUR JOURDAIN. – C'est une chose que j'ai résolue.

MADAME JOURDAIN. – C'est une chose, moi, où je ne consentirai point. Les alliances avec plus grand que soi sont sujettes
770 toujours à de fâcheux inconvénients. Je ne veux point qu'un
gendre puisse à ma fille reprocher ses parents, et qu'elle ait
des enfants qui aient honte de m'appeler leur grand-maman.
S'il fallait qu'elle me vînt visiter en équipage de grand-dame, et
qu'elle manquât par mégarde à saluer quelqu'un du quartier, on
775 ne manquerait pas aussitôt de dire cent sottises. « Voyez-vous,
dirait-on, cette madame la marquise qui fait tant la glorieuse[2],
c'est la fille de monsieur Jourdain, qui était trop heureuse, étant
petite, de jouer à la madame avec nous. Elle n'a pas toujours été
si relevée[3] que la voilà, et ses deux grands-pères vendaient du
780 drap auprès de la porte Saint-Innocent[4]. Ils ont amassé du bien
à leurs enfants, qu'ils payent maintenant peut-être bien cher en
l'autre monde, et l'on ne devient guère si riches à être honnêtes
gens. » Je ne veux point tous ces caquets et je veux un homme,

1. **Malitorne :** maladroit.
2. **Glorieuse :** fière.
3. **Relevée :** hautaine.
4. **La porte Saint-Innocent :** le quartier des Halles, à Paris.

en un mot, qui m'ait obligation de ma fille[1], et à qui je puisse
785 dire : « Mettez-vous là, mon gendre, et dînez avec moi. »

MONSIEUR JOURDAIN. – Voilà bien les sentiments d'un petit esprit,
de vouloir demeurer toujours dans la bassesse. Ne me répli-
quez pas davantage : ma fille sera marquise en dépit de tout le
monde ; et si vous me mettez en colère, je la ferai duchesse●
790 *(Il sort.)*

MADAME JOURDAIN. – Cléonte, ne perdez point courage encore.
Suivez-moi, ma fille, et venez dire résolument à votre père que
si vous ne l'avez, vous ne voulez épouser personne.

SCÈNE 13 – CLÉONTE, COVIELLE

COVIELLE. – Vous avez fait de belles affaires avec vos beaux
795 sentiments.

CLÉONTE. – Que veux-tu ? j'ai un scrupule là-dessus, que l'exemple[2]
ne saurait vaincre.

COVIELLE. – Vous moquez-vous, de le prendre sérieusement avec
un homme comme cela ? Ne voyez-vous pas qu'il est fou ? et vous
800 coûtait-il quelque chose de vous accommoder à ses chimères[3] ?

CLÉONTE. – Tu as raison ; mais je ne croyais pas qu'il fallût faire ses
preuves de noblesse pour être gendre de monsieur Jourdain.

COVIELLE. – Ah, ah, ah !

CLÉONTE. – De quoi ris-tu ?

805 COVIELLE. – D'une pensée qui me vient pour jouer notre homme,
et vous faire obtenir ce que vous souhaitez.

---

1. **Qui m'ait obligation de ma fille** : qui me soit reconnaissant de lui avoir donné ma fille.
2. **L'exemple** : l'exemple de ceux qui prétendent être nobles.
3. **Chimères** : idées fantasques.

● Duc/duchesse est le titre de noblesse le plus élevé après celui de prince.

CLÉONTE. – Comment ?

COVIELLE. – L'idée est tout à fait plaisante.

CLÉONTE. – Quoi donc ?

810 COVIELLE. – Il s'est fait depuis peu une certaine mascarade[1] qui vient le mieux du monde ici, et que je prétends faire entrer dans une bourle[2] que je veux faire à notre ridicule. Tout cela sent un peu sa comédie ; mais avec lui on peut hasarder toute chose, il n'y faut point chercher tant de façons, et il est homme
815 à y jouer son rôle à merveille, à donner aisément dans toutes les fariboles[3] qu'on s'avisera de lui dire. J'ai les acteurs, j'ai les habits tout prêts : laissez-moi faire seulement.

CLÉONTE. – Mais apprends-moi...

COVIELLE. – Je vais vous instruire de tout. Retirons-nous, le voilà
820 qui revient.

SCÈNE 14 – Monsieur Jourdain, laquais

MONSIEUR JOURDAIN. – Que diable est-ce là ! ils n'ont rien que les grands seigneurs à me reprocher ; et moi, je ne vois rien de si beau que de hanter les grands seigneurs : il n'y a qu'honneur et que civilité[4] avec eux, et je voudrais qu'il m'eût coûté deux
825 doigts de la main, et être né comte ou marquis.

LAQUAIS. – Monsieur, voici monsieur le comte, et une dame qu'il mène par la main.

MONSIEUR JOURDAIN. – Hé mon Dieu ! j'ai quelques ordres à donner. Dis-leur que je vais venir ici tout à l'heure.

---

1. **Mascarade** : comédie où l'on se déguise.
2. **Bourle** : farce.
3. **Fariboles** : sottises.
4. **Civilité** : bonnes manières.

SCÈNE 15 – DORIMÈNE, DORANTE, LAQUAIS

830 LAQUAIS. – Monsieur dit comme cela qu'il va venir ici tout à l'heure.

DORANTE. – Voilà qui est bien.

DORIMÈNE. – Je ne sais pas, Dorante, je fais encore ici une étrange démarche, de me laisser amener par vous dans une maison où
835 je ne connais personne.

DORANTE. – Quel lieu voulez-vous donc, madame, que mon amour choisisse pour vous régaler, puisque, pour fuir l'éclat, vous ne voulez ni votre maison, ni la mienne● ?

DORIMÈNE. – Mais vous ne dites pas que je m'engage insensible-
840 ment, chaque jour, à recevoir de trop grands témoignages de votre passion ? J'ai beau me défendre des choses, vous fatiguez ma résistance, et vous avez une civile opiniâtreté[1] qui me fait venir doucement à tout ce qu'il vous plaît. Les visites fréquentes ont commencé ; les déclarations sont venues ensuite, qui après
845 elles ont traîné[2] les sérénades et les cadeaux, que les présents● ont suivis. Je me suis opposée à tout cela, mais vous ne vous rebutez[3] point, et pied à pied vous gagnez[4] mes résolutions. Pour moi, je ne puis plus répondre de rien, et je crois qu'à la fin vous me ferez venir au mariage, dont je me suis tant éloignée.
850 DORANTE. – Ma foi ! madame, vous y devriez déjà être. Vous êtes

1. **Opiniâtreté** : obstination.
2. **Traîné** : entraîné.
3. **Rebutez** : découragez.
4. **Gagnez** : l'emportez sur.

● Dorante joue ici un double jeu : il trompe M. Jourdain aussi bien que Dorimène.

● Dorante a détourné à son profit les concerts et les cadeaux que M. Jourdain pensait offrir à Dorimène par l'intermédiaire du gentilhomme.

veuve, et ne dépendez que de vous. Je suis maître de moi, et vous aime plus que ma vie. À quoi tient-il que dès aujourd'hui vous ne fassiez tout mon bonheur ?

DORIMÈNE. – Mon Dieu ! Dorante, il faut des deux parts bien des 855 qualités pour vivre heureusement ensemble ; et les deux plus raisonnables personnes du monde ont souvent peine à composer une union dont ils soient satisfaits.

DORANTE. – Vous vous moquez, madame, de vous y figurer tant de difficultés ; et l'expérience que vous avez faite ne conclut 860 rien pour tous les autres.

DORIMÈNE. – Enfin, j'en reviens toujours là : les dépenses que je vous vois faire pour moi m'inquiètent par deux raisons : l'une, qu'elles m'engagent plus que je ne voudrais ; et l'autre, que je suis sûre, sans vous déplaire, que vous ne les faites point que 865 vous ne vous incommodiez[1] ; et je ne veux point cela.

DORANTE. – Ah ! madame, ce sont des bagatelles ; et ce n'est pas par là...

DORIMÈNE. – Je sais ce que je dis ; et, entre autres, le diamant que vous m'avez forcée à prendre est d'un prix...

870 DORANTE. – Eh ! madame, de grâce, ne faites point tant valoir une chose que mon amour trouve indigne de vous ; et souffrez... Voici le maître du logis.

SCÈNE 16 – MONSIEUR JOURDAIN, DORIMÈNE, DORANTE, LAQUAIS

MONSIEUR JOURDAIN, *après avoir fait deux révérences, se trouvant trop près de Dorimène.* – Un peu plus loin, madame.

---

1. **Que vous ne vous incommodiez** : que vous ne vous mettiez dans l'embarras financier (autrement dit que vous vous endettiez).

875 DORIMÈNE. – Comment ?

MONSIEUR JOURDAIN. – Un pas, s'il vous plaît.

DORIMÈNE. – Quoi donc ?

MONSIEUR JOURDAIN. – Reculez un peu, pour la troisième.

DORANTE. – Madame, monsieur Jourdain sait son monde[1].

880 MONSIEUR JOURDAIN. – Madame, ce m'est une gloire bien grande de me voir assez fortuné pour être si heureux que d'avoir le bonheur que vous avez eu la bonté de m'accorder la grâce de me faire l'honneur de m'honorer de la faveur de votre présence ; et si j'avais aussi le mérite pour mériter un mérite comme le
885 vôtre, et que le Ciel... envieux de mon bien... m'eût accordé... l'avantage de me voir digne... des...

DORANTE. – Monsieur Jourdain, en voilà assez : madame n'aime pas les grands compliments, et elle sait que vous êtes homme d'esprit. *(Bas, à Dorimène.)* C'est un bon bourgeois assez ridi-
890 cule, comme vous voyez, dans toutes ses manières.

DORIMÈNE, *bas, à Dorante.* – Il n'est pas malaisé de s'en apercevoir.

DORANTE. – Madame, voilà le meilleur de mes amis.

MONSIEUR JOURDAIN. – C'est trop d'honneur que vous me faites.

DORANTE. – Galant homme tout à fait.

895 DORIMÈNE. – J'ai beaucoup d'estime pour lui.

MONSIEUR JOURDAIN. – Je n'ai rien fait encore, madame, pour mériter cette grâce.

DORANTE, *bas, à M. Jourdain.* – Prenez garde au moins à ne lui point parler du diamant que vous lui avez donné.

900 MONSIEUR JOURDAIN. – Ne pourrais-je pas seulement lui demander comment elle le trouve ?

---

1. **Sait son monde** : connaît les usages du grand monde.

DORANTE. – Comment ? gardez-vous-en bien : cela serait vilain[1] à vous, et pour agir en galant homme, il faut que vous fassiez comme si ce n'était pas vous qui lui eussiez fait ce présent. Mon-
905 sieur Jourdain, madame, dit qu'il est ravi de vous voir chez lui.

DORIMÈNE. – Il m'honore beaucoup.

MONSIEUR JOURDAIN, *bas, à Dorante.* – Que je vous suis obligé, monsieur, de lui parler ainsi pour moi !

DORANTE, *bas, à M. Jourdain.* – J'ai eu une peine effroyable à la
910 faire venir ici.

MONSIEUR JOURDAIN, *bas, à Dorante.* – Je ne sais quelles grâces vous en rendre.

DORANTE. – Il dit, madame, qu'il vous trouve la plus belle personne du monde.

915 DORIMÈNE. – C'est bien de la grâce qu'il me fait.

MONSIEUR JOURDAIN. – Madame, c'est vous qui faites les grâces[2]; et...

DORANTE. – Songeons à manger.

LAQUAIS. – Tout est prêt, monsieur.

920 DORANTE. – Allons donc nous mettre à table, et qu'on fasse venir les musiciens.

(Six cuisiniers, qui ont préparé le festin, dansent ensemble, et font le troisième intermède ; après quoi ils apportent une table couverte de plusieurs mets.)

---

1. **Vilain** : vulgaire, grossier.
2. **C'est vous qui faites les grâces** : c'est vous qui me faites la grâce ; le pluriel utilisé par M. Jourdain rend la formule maladroite et grandiloquente.

Acte IV

SCÈNE 1 – Dorante, Dorimène, Monsieur Jourdain,
deux musiciens, une musicienne, laquais

🥀

DORIMÈNE. – Comment, Dorante ? voilà un repas tout à fait
magnifique !

MONSIEUR JOURDAIN. – Vous vous moquez, madame, et je voudrais
qu'il fût plus digne de vous être offert. *(Tous se mettent à table.)*

5   DORANTE. – Monsieur Jourdain a raison, madame, de parler de la
sorte, et il m'oblige[1] de vous faire si bien les honneurs de chez
lui. Je demeure d'accord avec lui que le repas n'est pas digne
de vous. Comme c'est moi qui l'ai ordonné et que je n'ai pas
sur cette matière les lumières de nos amis, vous n'avez pas ici
10 un repas fort savant, et vous y trouverez des incongruités de
bonne chère, et des barbarismes[2] de bon goût. Si Damis s'en
était mêlé, tout serait dans les règles ; il y aurait partout de
l'élégance et de l'érudition, et il ne manquerait pas de vous exagérer[3] lui-même toutes les pièces du repas qu'il vous donnerait,
15 et de vous faire tomber d'accord de sa haute capacité dans la
science des bons morceaux, de vous parler d'un pain de rive
à biseau doré[4], relevé de croûte partout, croquant tendrement
sous la dent, d'un vin à sève veloutée, armé d'un vert qui n'est

---

1. **Il m'oblige** : il me fait plaisir.
2. **Incongruités** : fautes de grammaire ; **barbarismes** : fautes
   grossières (sur la forme ou le sens d'un mot). Utiliser
   le lexique grammatical pour la cuisine relève de la préciosité.
3. **Exagérer** : mettre en valeur.
4. **Pain de rive à biseau doré** : pain bien doré, car cuit
   sur le bord (rive) du four.

20 point trop commandant[1] ; d'un carré de mouton gourmandé[2] de persil ; d'une longe[3] de veau de rivière[4], longue comme cela, blanche, délicate, et qui sous les dents est une vraie pâte d'amande ; de perdrix relevées d'un fumet surprenant ; et pour son opéra[5], d'une soupe à bouillon perlé[6], soutenue d'un jeune gros dindon cantonné[7] de pigeonneaux, et couronnée d'oignons blancs
25 mariés avec la chicorée[8]. Mais pour moi, je vous avoue mon ignorance ; et comme monsieur Jourdain a fort bien dit, je voudrais que le repas fût plus digne de vous être offert.

DORIMÈNE. – Je ne réponds à ce compliment qu'en mangeant comme je fais.

30 MONSIEUR JOURDAIN. – Ah ! que voilà de belles mains !

DORIMÈNE. – Les mains sont médiocres, monsieur Jourdain ; mais vous voulez parler du diamant, qui est fort beau.

MONSIEUR JOURDAIN. – Moi, madame ! Dieu me garde d'en vouloir parler ; ce ne serait pas agir en galant homme, et le diamant
35 est fort peu de chose.

DORIMÈNE. – Vous êtes bien dégoûté.

MONSIEUR JOURDAIN. – Vous avez trop de bonté...

DORANTE. – Allons, qu'on donne du vin à monsieur Jourdain, et à ces messieurs, qui nous feront la grâce de nous chanter un
40 air à boire.

---

1. **Vin à sève veloutée [...] trop commandant** : vin nouveau, mais qui ne pique pas.
2. **Gourmandé** : piqué.
3. **Longe** : pièce de veau situé entre l'épaule et la queue.
4. **Veau de rivière** : veau nourri dans l'herbe grasse des prairies qui bordent les rivières.
5. **Opéra** : chef-d'œuvre.
6. **Bouillon perlé** : bouillon de viande bien gras.
7. **Cantonné** : garni.
8. **Chicorée** : variété de salade.

assaisonner

DORIMÈNE. – C'est merveilleusement ~~assaisonner~~ la bonne chère
que d'y mêler la musique, et je me vois ici admirablement régalée.

MONSIEUR JOURDAIN. – Madame, ce n'est pas...

DORANTE. – Monsieur Jourdain, prêtons silence à ces messieurs ;
45 ce qu'ils nous diront vaudra mieux que tout ce que nous pour-
rions dire.

*(Les Musiciens et la Musicienne prennent des verres, chantent deux
chansons à boire, et sont soutenus de toute la symphonie.)*

PREMIÈRE CHANSON À BOIRE

Un petit doigt, Philis, pour commencer le tour[1].
50 *Ah ! qu'un verre en vos mains a d'agréables charmes !*
Vous et le vin, vous vous prêtez des armes,
Et je sens pour tous deux redoubler mon amour :
Entre lui, vous et moi, jurons, jurons, ma belle,
Une ardeur éternelle.
55 *Qu'en mouillant votre bouche il en reçoit d'attraits,*
Et que l'on voit par lui votre bouche embellie !
Ah ! l'un de l'autre, ils me donnent envie,
Et de vous et de lui je m'enivre à longs traits :
Entre lui, vous et moi, jurons, jurons, ma belle,
60 *Une ardeur éternelle.*

SECONDE CHANSON À BOIRE

Buvons, chers amis, buvons :
Le temps qui fuit nous y convie ;
Profitons de la vie
Autant que nous pouvons

---

1. **Le tour** : la tournée.

65   *Quand on a passé l'onde noire*[1],
                 Adieu le bon vin, nos amours ;
                     Dépêchons-nous de boire,
                     On ne boit pas toujours.

                     Laissons raisonner les sots
70   *Sur le vrai bonheur de la vie ;*
                       Notre philosophie
                       Le met parmi les pots.
             Les biens, le savoir et la gloire
            N'ôtent point les soucis fâcheux,
75   *Et ce n'est qu'à bien boire*
                 Que l'on peut être heureux.
    Sus[2], *sus, du vin partout, versez, garçons, versez,*
     Versez, versez toujours, tant qu'on vous dise assez.

DORIMÈNE. – Je ne crois pas qu'on puisse mieux chanter, et cela
80   est tout à fait beau.

MONSIEUR JOURDAIN. – Je vois encore ici, madame, quelque chose
de plus beau.

DORIMÈNE. – Ouais[3] ! monsieur Jourdain est galant plus que je
ne pensais.

85 DORANTE. – Comment, madame ? pour qui prenez-vous monsieur Jourdain ?

MONSIEUR JOURDAIN. – Je voudrais bien qu'elle me prît pour ce
que je dirais !

DORIMÈNE. – Encore !

---

1. **Quand on a passé l'onde noire** : l'eau du Styx, fleuve
des enfers dans la mythologie grecque ; expression
métaphorique qui signifie « quand on est morts ».
2. **Sus** ! Allons !
3. **Ouais** : exclamation qui marque l'étonnement mais qui,
au XVIIe siècle, n'a rien de vulgaire.

90 DORANTE. – Vous ne le connaissez pas.

MONSIEUR JOURDAIN. – Elle me connaîtra quand il lui plaira.

DORIMÈNE. – Oh ! je le quitte[1].

DORANTE. – Il est homme qui a toujours la riposte en main. Mais vous ne voyez pas que monsieur Jourdain, madame, mange

95 tous les morceaux que vous touchez.

DORIMÈNE. – Monsieur Jourdain est un homme qui me ravit.

MONSIEUR JOURDAIN. – Si je pouvais ravir[2] votre cœur, je serais...

SCÈNE 2 – MADAME JOURDAIN, MONSIEUR JOURDAIN, DORIMÈNE, DORANTE, MUSICIENS, MUSICIENNES, LAQUAIS

MADAME JOURDAIN. – Ah, ah ! je trouve ici bonne compagnie, et je vois bien qu'on ne m'y attendait pas. C'est donc pour cette

100 belle affaire-ci, monsieur mon mari, que vous avez eu tant d'empressement à m'envoyer dîner chez ma sœur ? Je viens de voir un théâtre là-bas, et je vois ici un banquet à faire noces. Voilà comme vous dépensez votre bien, et c'est ainsi que vous festinez[3] les dames en mon absence, et que vous leur donnez la

105 musique et la comédie, tandis que vous m'envoyez promener ?

DORANTE. – Que voulez-vous dire, madame Jourdain ? et quelles fantaisies sont les vôtres, de vous aller mettre en tête que votre mari dépense son bien, et que c'est lui qui donne ce régale[4] à madame ? Apprenez que c'est moi, je vous prie ; qu'il ne fait

110 seulement que me prêter sa maison, et que vous devriez un peu mieux regarder aux choses que vous dites.

---

1. Je le quitte : j'y renonce
2. Ravir : « voler », mais aussi « plaire ». M. Jourdain s'essaie au mot d'esprit en jouant sur le double sens du verbe.
3. Festinez : régalez d'un festin.
4. Régale : repas somptueux, festin.

Que vous touchez : que vous avez tenus dans vos mains. Au XVIIe siècle, en effet, on mange avec les mains et on se sert directement dans le plat.

MONSIEUR JOURDAIN. – Oui, impertinente, c'est monsieur le comte qui donne tout ceci à madame, qui est une personne de qualité. Il me fait l'honneur de prendre ma maison, et de vouloir que je sois avec lui.

MADAME JOURDAIN. – Ce sont des chansons que cela : je sais ce que je sais.

DORANTE. – Prenez, madame Jourdain, prenez de meilleures lunettes.

MADAME JOURDAIN. – Je n'ai que faire de lunettes, monsieur, et je vois assez clair ; il y a longtemps que je sens les choses, et je ne suis pas une bête. Cela est fort vilain à vous, pour un grand seigneur, de prêter la main comme vous faites aux sottises de mon mari. Et vous, madame, pour une grand-dame, cela n'est ni beau ni honnête à vous, de mettre de la dissension[1] dans un ménage, et de souffrir[2] que mon mari soit amoureux de vous.

DORIMÈNE. – Que veut donc dire tout ceci ? Allez, Dorante, vous vous moquez, de m'exposer aux sottes visions[3] de cette extra-vagante.

DORANTE, *suivant Dorimène qui sort*. – Madame, holà ! madame, où courez-vous ?

MONSIEUR JOURDAIN. – Madame ! monsieur le comte, faites-lui excuses, et tâchez de la ramener. Ah ! impertinente que vous êtes ! voilà de vos beaux faits ; vous me venez faire des affronts devant tout le monde, et vous chassez de chez moi des per-sonnes de qualité.

MADAME JOURDAIN. – Je me moque de leur qualité.

1. **Dissension** : discorde.
2. **Souffrir** : tolérer, supporter.
3. **Visions** : idées folles.

MONSIEUR JOURDAIN. – Je ne sais qui me tient[1], maudite, que je ne vous fende la tête avec les pièces du repas que vous êtes
140 venue troubler.

(On ôte la table.)

MADAME JOURDAIN, *sortant*. – Je me moque de cela. Ce sont mes droits que je défends, et j'aurai pour moi toutes les femmes.

MONSIEUR JOURDAIN. – Vous faites bien d'éviter ma colère. *(Seul.)*
145 Elle est arrivée là bien malheureusement. J'étais en humeur de dire de jolies choses, et jamais je ne m'étais senti tant d'esprit. Qu'est-ce que c'est que cela ?

SCÈNE 3 – COVIELLE, *déguisé*, MONSIEUR JOURDAIN, LAQUAIS

COVIELLE. – Monsieur, je ne sais pas si j'ai l'honneur d'être connu de vous ●.
150 MONSIEUR JOURDAIN. – Non, monsieur.

COVIELLE. – Je vous ai vu que vous n'étiez pas plus grand que cela.

MONSIEUR JOURDAIN. – Moi !

COVIELLE. – Oui, vous étiez le plus bel enfant du monde, et toutes
155 les dames vous prenaient dans leurs bras pour vous baiser.

MONSIEUR JOURDAIN. – Pour me baiser[2] !

COVIELLE. – Oui. J'étais grand ami de feu[3] monsieur votre père.

MONSIEUR JOURDAIN. – De feu monsieur mon père !

COVIELLE. – Oui. C'était un fort honnête gentilhomme.
160 MONSIEUR JOURDAIN. – Comment dites-vous ?

---

1. **Ce qui me tient** : ce qui me retient.
2. **Baiser** : embrasser.
3. **Feu** : décédé.

● Covielle a fait dresser un théâtre pour la cérémonie turque. Il y a donc « théâtre dans le théâtre ».

COVIELLE. – Je dis que c'était un fort honnête gentilhomme.

MONSIEUR JOURDAIN. – Mon père !

COVIELLE. – Oui.

MONSIEUR JOURDAIN. – Vous l'avez fort connu ?

165 COVIELLE. – Assurément.

MONSIEUR JOURDAIN. – Et vous l'avez connu pour gentilhomme ?

COVIELLE. – Sans doute.

MONSIEUR JOURDAIN. – Je ne sais donc pas comment le monde est fait.

170 COVIELLE. – Comment ?

MONSIEUR JOURDAIN. – Il y a de sottes gens qui me veulent dire qu'il a été marchand.

COVIELLE. – Lui, marchand ! C'est pure médisance, il ne l'a jamais été. Tout ce qu'il faisait, c'est qu'il était fort obligeant[1], fort offi-
175 cieux[2], et comme il se connaissait fort bien en étoffes, il en allait choisir de tous les côtés, les faisait apporter chez lui et en donnait à ses amis pour de l'argent.

MONSIEUR JOURDAIN. – Je suis ravi de vous connaître, afin que vous rendiez ce témoignage-là, que mon père était gentil-
180 homme.

COVIELLE. – Je le soutiendrai devant tout le monde.

MONSIEUR JOURDAIN. – Vous m'obligerez. Quel sujet vous amène ?

COVIELLE. – Depuis avoir connu feu monsieur votre père, honnête gentilhomme, comme je vous ai dit, j'ai voyagé par tout
185 le monde.

MONSIEUR JOURDAIN. – Par tout le monde !

COVIELLE. – Oui.

MONSIEUR JOURDAIN. – Je pense qu'il y a bien loin en ce pays-là.

---

1. **Obligeant** : aimable.
2. **Officieux** : serviable.

COVIELLE. – Assurément. Je ne suis revenu de tous mes longs
190 voyages que depuis quatre jours ; et par l'intérêt que je prends
à tout ce qui vous touche, je viens vous annoncer la meilleure
nouvelle du monde.

MONSIEUR JOURDAIN. – Quelle ?

COVIELLE. – Vous savez que le fils du Grand Turc[1] est ici ?

195 MONSIEUR JOURDAIN. – Moi ? Non.

COVIELLE. – Comment ? il a un train[2] tout à fait magnifique ; tout
le monde le va voir, et il a été reçu en ce pays comme un seigneur d'importance.

MONSIEUR JOURDAIN. – Par ma foi ! je ne savais pas cela.

200 COVIELLE. – Ce qu'il y a d'avantageux pour vous, c'est qu'il est
amoureux de votre fille.

MONSIEUR JOURDAIN. – Le fils du Grand Turc ?

COVIELLE. – Oui ; et il veut être votre gendre.

MONSIEUR JOURDAIN. – Mon gendre, le fils du Grand Turc !

205 COVIELLE. – Le fils du Grand Turc, votre gendre. Comme je le
fus voir et que j'entends parfaitement sa langue, il s'entretint
avec moi ; et, après quelques autres discours, il me dit : *Acciam
croc soler ouch alla moustaph gidelum amanabem varabini ous-
sere carbulath,* c'est-à-dire : « N'as-tu point vu une jeune belle
210 personne, qui est la fille de monsieur Jourdain, gentilhomme
parisien ? »

MONSIEUR JOURDAIN. – Le fils du Grand Turc dit cela de moi ?

COVIELLE. – Oui. Comme je lui eus répondu que je vous connais-
sais particulièrement, et que j'avais vu votre fille : « Ah ! me
215 dit-il, *marababa sahem* » ; c'est-à-dire : « Ah ! que je suis amoureux d'elle ! »

---

1. **Grand Turc** : souverain des Turcs.
2. **Train** : escorte de domestiques, avec voitures, chevaux...

MONSIEUR JOURDAIN. – *Marababa sahem* veut dire : « Ah ! que je suis amoureux d'elle » ?

COVIELLE. – Oui.

220 MONSIEUR JOURDAIN. – Par ma foi ! vous faites bien de me le dire, car pour moi je n'aurais jamais cru que marababa sahem eût voulu dire : « Ah ! que je suis amoureux d'elle ! » Voilà une langue admirable que ce turc !

COVIELLE. – Plus admirable qu'on ne peut croire. Savez-vous bien
225 ce que veut dire cacaracamouchen ?

MONSIEUR JOURDAIN. – *Cacaracamouchen* ? Non.

COVIELLE. – C'est-à-dire : « Ma chère âme ».

MONSIEUR JOURDAIN. – *Cacaracamouchen* veut dire : « Ma chère âme » ?

230 COVIELLE. – Oui.

MONSIEUR JOURDAIN. – Voilà qui est merveilleux ! Cacaracamou-chen, « Ma chère âme ». Dirait-on jamais cela ? Voilà qui me confond.

COVIELLE. – Enfin, pour achever mon ambassade[1], il vient vous
235 demander votre fille en mariage ; et pour avoir un beau-père qui soit digne de lui, il veut vous faire *Mamamouchi*[2], qui est une certaine grande dignité de son pays.

MONSIEUR JOURDAIN. – *Mamamouchi* ?

COVIELLE. – Oui, *Mamamouchi* ; c'est-à-dire, en notre langue,
240 paladin[3]. Paladin, ce sont de ces anciens... Paladin enfin. Il n'y a rien de plus noble que cela dans le monde, et vous irez de pair avec les plus grands seigneurs de la terre.

1. **Ambassade** : mission.
2. **Mamamouchi** : mot inventé par Molière et qui, selon le Littré, viendrait de l'arabe *ma menou schi* (« bon à rien »).
3. **Paladin** : seigneur de la suite de Charlemagne.

MONSIEUR JOURDAIN. – Le fils du Grand Turc m'honore beaucoup, et je vous prie de me mener chez lui pour lui en faire mes
245 remerciements.

COVIELLE. – Comment ? le voilà qui va venir ici.

MONSIEUR JOURDAIN. – Il va venir ici ?

COVIELLE. – Oui ; et il amène toutes les choses pour la cérémonie de votre dignité.

250 MONSIEUR JOURDAIN. – Voilà qui est bien prompt.

COVIELLE. – Son amour ne peut souffrir aucun retardement[1].

MONSIEUR JOURDAIN. – Tout ce qui m'embarrasse ici, c'est que ma fille est une opiniâtre[2], qui s'est allée mettre dans la tête un certain Cléonte, et elle jure de n'épouser personne que celui-là.

255 COVIELLE. – Elle changera de sentiment quand elle verra le fils du Grand Turc ; et puis il se rencontre ici une aventure merveilleuse, c'est que le fils du Grand Turc ressemble à ce Cléonte, à peu de chose près. Je viens de le voir, on me l'a montré ; et l'amour qu'elle a pour l'un pourra passer aisément à l'autre,
260 et... Je l'entends venir : le voilà.

SCÈNE 4 – Cléonte, *en Turc, avec trois pages portant sa veste,* Monsieur Jourdain, Covielle, *déguisé*

CLÉONTE. – *Ambousahim oqui boraf, Iordina salamalequi*.

COVIELLE. – C'est-à-dire : « Monsieur Jourdain, votre cœur soit toute l'année comme un rosier fleuri. » Ce sont façons de parler obligeantes de ces pays-là.

---

1. Retardement : retard.
2. Opiniâtre : têtue.

La langue utilisée par Covielle est bien évidemment une langue de fantaisie inventée par Molière. Quelques mots, cependant, s'inspirent de l'arabe ou du turc. Ainsi, *salamalequi* est créé à partir du mot arabe *salamalec*, qui signifie « que la paix soit avec toi ».

265 MONSIEUR JOURDAIN. – Je suis très humble serviteur de Son Altesse Turque.

COVIELLE. – *Carigar camboto oustin moraf.*

CLÉONTE. – *Oustin yoc catamalequi basum base alla moran.*

COVIELLE. – Il dit : « Que le Ciel vous donne la force des lions et 270 la prudence des serpents ! »

MONSIEUR JOURDAIN. – Son Altesse Turque m'honore trop, et je lui souhaite toutes sortes de prospérités.

COVIELLE. – *Ossa binamen sadoc babally oracaf ouram.*

CLÉONTE. – *Bel-men*[1].

275 COVIELLE. – Il dit que vous alliez vite avec lui vous préparer pour la cérémonie, afin de voir ensuite votre fille, et de conclure le mariage.

MONSIEUR JOURDAIN. – Tant de choses en deux mots ?

COVIELLE. – Oui, la langue turque est comme cela, elle dit beau-280 coup en peu de paroles. Allez vite où il souhaite.

SCÈNE 5 – DORANTE, COVIELLE

COVIELLE. – Ha, ha, ha ! Ma foi ! cela est tout à fait drôle. Quelle dupe ! Quand il aurait appris son rôle par cœur, il ne pourrait pas le mieux jouer. Ah, ah ! Je vous prie, monsieur, de nous vouloir aider céans, dans une affaire qui s'y passe.

285 DORANTE. – Ah, ah ! Covielle, qui t'aurait reconnu ? Comme te voilà ajusté[2] !

COVIELLE. – Vous voyez. Ah, ah !

DORANTE. – De quoi ris-tu ?

---

1. **Bel-men** : du turc *bilmen*, « je ne sais pas ».
2. **Ajusté** : déguisé.

COVIELLE. – D'une chose, monsieur, qui le mérite bien.

290 DORANTE. – Comment ?

COVIELLE. – Je vous le donnerais en bien des fois[1], monsieur, à deviner le stratagème dont nous nous servons auprès de monsieur Jourdain, pour porter son esprit à donner sa fille à mon maître.

295 DORANTE. – Je ne devine point le stratagème[2] ; mais je devine qu'il ne manquera pas de faire son effet, puisque tu l'entreprends.

COVIELLE. – Je sais, monsieur, que la bête vous est connue[3].

DORANTE. – Apprends-moi ce que c'est.

COVIELLE. – Prenez la peine de vous tirer[4] un peu plus loin, pour
300 faire place à ce que j'aperçois venir. Vous pourrez voir une partie de l'histoire, tandis que je vous conterai le reste.

La cérémonie turque pour ennoblir[5] le Bourgeois se fait en danse et en musique, et compose le quatrième intermède.

Le Mufti[6], quatre Dervis[7], six Turcs dansants, six Turcs musiciens, et
305 *autres joueurs d'instruments à la turque, sont les acteurs de cette cérémonie. Le Mufti invoque Mahomet avec les douze Turcs et les quatre Dervis ; après on lui amène le Bourgeois, vêtu à la turque, sans turban et sans sabre, auquel il chante ces paroles :*

1. **Je vous le donnerais en bien des fois** : je vous le donne en mille.
2. **Stratagème** : ruse.
3. **La bête vous est connue** : vous me connaissez bien.
4. **Vous tirer** : vous retirer.
5. **Ennoblir** : anoblir.
6. **Mufti** : dignitaire chargé d'interpréter le droit musulman.
7. **Dervis** (ou derviches) : religieux musulmans.

LE MUFTI

Se ti sabir[1],	Si toi savoir,
310 *Ti respondir ;*	Toi, répondre ;
Se non sabir,	Si non savoir,
Tazir, tazir.	Te taire, te taire.
Mi star Mufti,	Moi être Mufti :
Ti qui star ti ?	Toi, qui être, toi ?
315 *Non intendir :*	(Toi) pas entendre [comprendre] :
Tazir, tazir.	Te taire, te taire.

Le Mufti demande, en même langue, aux Turcs assistants de quelle religion est le Bourgeois, et ils l'assurent qu'il est mahométan. Le Mufti invoque Mahomet en langue franque, et chante les paroles qui suivent.

LE MUFTI

320 *Mahametta per Giourdina*	Mahomet, pour Jourdain,
Mi pregar sera e mattina :	Moi prier soir et matin :
Voler far un Paladina	Vouloir faire un Paladin
Dé Giourdina, dé Giourdina.	De Jourdain, de Jourdain.
Dar turbanta, é dar scarcina,	Donner turban, et donner cimeterre[2],
325 *Con galera é brigantina,*	Avec galère et brigantine[3],
Per deffender Palestina.	Pour défendre Palestine.
Mahametta, etc.	Mahomet, etc.

Le Mufti demande aux Turcs si le Bourgeois sera ferme dans la religion mahométane, et leur chante ces paroles.

---

1. *Si ti sabir :* ces couplets sont écrits dans un jargon appelé
 « sabir », mélange de français, d'espagnol, d'italien
 et d'arabe.
2. **Cimeterre :** sabre à lame large et recourbée.
3. **Brigantine :** voilier plus léger que la galère.

Le Bourgeois gentilhomme, *musique de Richard Strauss (1864-1949),
chorégraphie de George Balanchine avec Rudolf Noureev dans le rôle de
Cléonte. Paris, Opéra-Comique, 1984.*

LE MUFTI

330 *Star bon Turca Giourdina ?*   Être bon Turc, Jourdain ?

LES TURCS

Hi valla.   Je l'affirme par Dieu.

LE MUFTI *danse et chante ces mots :*
Hu la ba ba la chou ba la ba ba la da.

Les Turcs répondent les mêmes vers.
Le Mufti propose de donner le turban au Bourgeois, et chante les paroles
335 *qui suivent.*

LE MUFTI

Ti non star furba ?   Toi, pas être fourbe ?

LES TURCS

No, no, no.   Non, non, non.

LE MUFTI

Non star furfanta ?   Pas être fripon ?

LES TURCS

No, no, no.   Non, non, non.

LE MUFTI

340 *Donar turbanta,*   Donner turban,
donar turbanta.   donner turban.

Les Turcs répètent tout ce qu'a dit le Mufti pour donner le turban
au Bourgeois. Le Mufti et les Dervis se coiffent avec des turbans de
cérémonie ; et l'on présente au Mufti l'Alcoran[1], qui fait une seconde
345 *invocation avec tout le reste des Turcs assistants ; après son invocation,*
il donne au Bourgeois l'épée, et chante ces paroles.

1. **L'Alcoran** : le Coran.

LE MUFTI

Ti star nobilé,	Toi être noble,
é non star fabbola.	et (cela) pas être fable.
Pigliar schiabbola.	Prendre sabre.

350 *Les Turcs répètent les mêmes vers, mettant tous le sabre à la main, et six d'entre eux dansent autour du Bourgeois, auquel ils feignent de donner plusieurs coups de sabre.*

Le Mufti commande aux Turcs de bâtonner le Bourgeois, et chante les paroles qui suivent.

LE MUFTI

355 *Dara, dara,*	Donner, donner...
Bastonnara, bastonnara.	Bâtonner, bâtonner.

Les Turcs répètent les mêmes vers, et lui donnent plusieurs coups de bâton en cadence. Le Mufti, après l'avoir fait bâtonner, lui dit en chantant.

LE MUFTI

Non tenar honta :	Ne pas avoir honte :
360 *Questa star ultima affronta.*	Celui-ci être (le) dernier affront.

Les Turcs répètent les mêmes vers.

Le Mufti recommence une invocation, et se retire après la cérémonie avec tous les Turcs, en dansant et chantant avec plusieurs instruments à la turquesque.

Acte V

SCÈNE 1 – MADAME JOURDAIN, MONSIEUR JOURDAIN

MADAME JOURDAIN. – Ah mon Dieu ! miséricorde ! Qu'est-ce que c'est donc que cela ? Quelle figure[1] ! Est-ce un momon[2] que vous allez porter ; et est-il temps d'aller en masque ? Parlez donc, qu'est-ce que c'est que ceci ? Qui vous a fagoté comme
5   cela ?

MONSIEUR JOURDAIN. – Voyez l'impertinente, de parler de la sorte à un *Mamamouchi* !

MADAME JOURDAIN. – Comment donc ?

MONSIEUR JOURDAIN. – Oui, il me faut porter du respect mainte-
10   nant, et l'on vient de me faire Mamamouchi.

MADAME JOURDAIN. – Que voulez-vous dire avec votre *Mama-mouchi* ?

Illustration de Leman et Lelois pour Le Bourgeois gentilhomme. *Paris, bibliothèque de l'Arsenal.*

1. **Figure** : allure.
2. **Momon** : pendant le carnaval, défi que des personnages masqués se lancent au jeu de dès.

MONSIEUR JOURDAIN. – *Mamamouchi*, vous dis-je, je suis *Mamamouchi*.

15 MADAME JOURDAIN. – Quelle bête est-ce là ?

MONSIEUR JOURDAIN. – *Mamamouchi*, c'est-à-dire, en notre langue, paladin.

MADAME JOURDAIN. – Baladin[1] ! Êtes-vous en âge de danser des ballets ?

20 MONSIEUR JOURDAIN. – Quelle ignorante ! Je dis paladin : c'est une dignité dont on vient de me faire la cérémonie.

MADAME JOURDAIN. – Quelle cérémonie donc ?

MONSIEUR JOURDAIN. – *Mahameta per Iordina.*

MADAME JOURDAIN. – Qu'est-ce que cela veut dire ?

25 MONSIEUR JOURDAIN. – *Iordina*, c'est-à-dire Jourdain.

MADAME JOURDAIN. – Hé bien ! quoi, Jourdain ?

MONSIEUR JOURDAIN. – *Voler far un Paladina de Iordina.*

MADAME JOURDAIN. – Comment ?

MONSIEUR JOURDAIN. – *Dar turbanta con galera.*

30 MADAME JOURDAIN. – Qu'est-ce à dire cela ?

MONSIEUR JOURDAIN. – *Per deffender Palestina.*

MADAME JOURDAIN. – Que voulez-vous donc dire ?

MONSIEUR JOURDAIN. – *Dara dara bastonara.*

MADAME JOURDAIN. – Qu'est-ce donc que ce jargon-là ?

35 MONSIEUR JOURDAIN. – *Non tener bonta : questa star l'ultima affronta.*

MADAME JOURDAIN. – Qu'est-ce que c'est donc que tout cela ?

MONSIEUR JOURDAIN *danse et chante*. – *Hou la ba, ba la chou, ba la ba, ba la da.*

40 MADAME JOURDAIN. – Hélas, mon Dieu ! mon mari est devenu fou.

---

1. **Baladin** : danseur de ballet.

MONSIEUR JOURDAIN, *sortant.* – Paix ! insolente, portez respect à monsieur le *Mamamouchi.*

MADAME JOURDAIN. – Où est-ce qu'il a donc perdu l'esprit ? Courons l'empêcher de sortir. *(Apercevant Dorimène et Dorante.)* Ah, ah, voici justement le reste de notre écu[1]. Je ne vois que chagrin de tous les côtés. *(Elle sort.)*

SCÈNE 2 – DORANTE, DORIMÈNE

DORANTE. – Oui, madame, vous verrez la plus plaisante chose qu'on puisse voir ; et je ne crois pas que dans tout le monde il soit possible de trouver encore un homme aussi fou que celui-là. Et puis, madame, il faut tâcher de servir l'amour de Cléonte, et d'appuyer toute sa mascarade : c'est un fort galant homme, et qui mérite que l'on s'intéresse pour lui[2].

DORIMÈNE. – J'en fais beaucoup de cas, et il est digne d'une bonne fortune[3].

DORANTE. – Outre cela[4], nous avons ici, madame, un ballet qui nous revient, que nous ne devons pas laisser perdre, et il faut bien voir si mon idée pourra réussir.

DORIMÈNE. – J'ai vu là des apprêts[5] magnifiques, et ce sont des choses, Dorante, que je ne puis plus souffrir. Oui, je veux enfin vous empêcher vos profusions[6], et, pour rompre le cours à toutes les dépenses que je vous vois faire pour moi, j'ai résolu de me

---

4. **Le reste de notre écu** : le comble de notre malheur.
2. **Que l'on s'intéresse pour lui** : qu'on l'aide dans son entreprise.
3. **Bonne fortune** : heureuse destinée.
4. **Outre cela** : de plus.
5. **Apprêts** : préparatifs.
6. **Profusions** : marques de générosité.

marier promptement avec vous ; c'en est le vrai secret, et toutes ces choses finissent avec le mariage.

65 DORANTE. – Ah ! madame, est-il possible que vous ayez pu prendre pour moi une si douce résolution ?

DORIMÈNE. – Ce n'est que pour vous empêcher de vous ruiner ; et, sans cela, je vois bien qu'avant qu'il fût peu[1], vous n'auriez pas un sou.

70 DORANTE. – Que j'ai d'obligation, madame, aux soins que vous avez de conserver mon bien ! Il est entièrement à vous, aussi bien que mon cœur, et vous en userez de la façon qu'il vous plaira.

DORIMÈNE. – J'userai bien de tous les deux. Mais voici votre
75 homme ; la figure en est admirable.

SCÈNE 3 – MONSIEUR JOURDAIN, DORANTE, DORIMÈNE

DORANTE. – Monsieur, nous venons rendre hommage, madame et moi, à votre nouvelle dignité, et nous réjouir avec vous du mariage que vous faites de votre fille avec le fils du Grand Turc.

MONSIEUR JOURDAIN, *après avoir fait les révérences à la turque*●. –
80 Monsieur, je vous souhaite la force des serpents et la prudence des lions[2].

DORIMÈNE. – J'ai été bien aise d'être des premières, monsieur, à venir vous féliciter du haut degré de gloire où vous êtes monté.

MONSIEUR JOURDAIN. – Madame, je vous souhaite toute l'année

---

1. **Avant qu'il fût peu** : que d'ici peu.
2. **La force des serpents et la prudence des lions** : M. Jourdain inverse la formulation.

● Lorsque M. Jourdain fait des révérences à la turque, il se touche la bouche et le front avant de s'incliner.

85 votre rosier fleuri ; je vous suis infiniment obligé de prendre part aux honneurs qui m'arrivent, et j'ai beaucoup de joie de vous voir revenue ici pour vous faire les très humbles excuses de l'extravagance de ma femme.

DORIMÈNE. – Cela n'est rien ; j'excuse en elle un pareil mouve-
90 ment ; votre cœur lui doit être précieux, et il n'est pas étrange que la possession d'un homme comme vous puisse inspirer quelques alarmes.

MONSIEUR JOURDAIN. – La possession de mon cœur est une chose qui vous est tout acquise.

95 DORANTE. – Vous voyez, madame, que monsieur Jourdain n'est pas de ces gens que les prospérités aveuglent, et qu'il sait, dans sa gloire, connaître encore ses amis.

DORIMÈNE. – C'est la marque d'une âme tout à fait généreuse.

DORANTE. – Où est donc son Altesse Turque ? Nous voudrions
100 bien comme[1] vos amis lui rendre nos devoirs.

MONSIEUR JOURDAIN. – Le voilà qui vient, et j'ai envoyé quérir ma fille pour lui donner la main[2].

SCÈNE 4 – CLÉONTE, *habillé en Turc*, COVIELLE, *déguisé*, MONSIEUR JOURDAIN, DORIMÈNE, DORANTE

DORANTE, *à Cléonte*. – Monsieur, nous venons faire la révérence à Votre Altesse, comme amis de monsieur votre beau-père, et
105 l'assurer avec respect de nos très humbles services.

---

1. **Comme vos amis** : en tant qu'amis.
2. **Quérir [...] donner la main** : envoyer chercher ma fille pour conclure son mariage.

MONSIEUR JOURDAIN. – Où est le truchement[1] pour lui dire qui vous êtes, et lui faire entendre ce que vous dites ? Vous verrez qu'il vous répondra, et il parle turc à merveille. Holà ! où diantre est-il allé ? *(À Cléonte.) Strouf, strif, strof, straf.* Monsieur est une *grande Segnore, grande Segnore, grande Segnore* ; et Madame une *granda Dama, granda Dama. Ahi,* lui ; monsieur, lui *Mamamouchi* français, et madame *Mamamouchie* française : je ne puis pas parler plus clairement. Bon, voici l'interprète. Où allez-vous donc ? nous ne saurions rien dire sans vous. Dites-lui un peu que monsieur et madame sont des personnes de grande qualité, qui lui viennent faire la révérence, comme mes amis, et l'assurer de leurs services. Vous allez voir comme il va répondre.

COVIELLE. – *Alabala crociam acci boram alabamen.*

CLÉONTE. – *Catalequi tubal ourin soter amalouchan.*

MONSIEUR JOURDAIN. – Voyez-vous.

COVIELLE. – Il dit que la pluie des prospérités arrose en tout temps le jardin de votre famille !

MONSIEUR JOURDAIN. – Je vous l'avais bien dit, qu'il parle turc.

DORANTE. – Cela est admirable.

SCÈNE 5 – LUCILE, MONSIEUR JOURDAIN, DORANTE, DORIMÈNE, CLÉONTE, COVIELLE

MONSIEUR JOURDAIN. – Venez, ma fille, approchez-vous et venez donner votre main à monsieur, qui vous fait l'honneur de vous demander en mariage.

---

1. Le truchement : l'interprète.

LUCILE. – Comment ! mon père, comme vous voilà fait[1] ! Est-ce
130   une comédie que vous jouez ?

MONSIEUR JOURDAIN. – Non, non, ce n'est pas une comédie, c'est
une affaire sérieuse, et la plus pleine d'honneur pour vous qui
se peut souhaiter. Voilà le mari que je vous donne.

LUCILE. – À moi, mon père ?

135 MONSIEUR JOURDAIN. – Oui, à vous. Allons, touchez-lui dans la
main[2], et rendez grâce[3] au Ciel de votre bonheur.

LUCILE. – Je ne veux point me marier.

MONSIEUR JOURDAIN. – Je le veux, moi, qui suis votre père.

LUCILE. – Je n'en ferai rien.

140 MONSIEUR JOURDAIN. – Ah ! que de bruit ! Allons, vous dis-je. Çà,
votre main.

LUCILE. – Non, mon père, je vous l'ai dit, il n'est point de pouvoir
qui me puisse obliger à prendre un autre mari que Cléonte ; et
je me résoudrai plutôt à toutes les extrémités que de[4]... *(Recon-*
145   *naissant Cléonte.)* Il est vrai que vous êtes mon père, je vous
dois entière obéissance ; et c'est à vous à disposer de moi selon
vos volontés.

MONSIEUR JOURDAIN. – Ah ! je suis ravi de vous voir si promptement revenue dans votre devoir ; et voilà qui me plaît d'avoir
150   une fille obéissante.

---

1. **Fait** : accoutré.
2. **Touchez-lui dans la main** : consentez au mariage.
3. **Rendez grâce** : remerciez.
4. **Que de...** : plutôt que de...

SCÈNE 6 – MADAME JOURDAIN, MONSIEUR JOURDAIN, CLÉONTE, LUCILE, DORANTE, DORIMÈNE, COVIELLE

MADAME JOURDAIN. – Comment donc ? qu'est-ce que c'est que ceci ? On dit que vous voulez donner votre fille en mariage à un carême-prenant[1] ?

155 MONSIEUR JOURDAIN. – Voulez-vous vous taire, impertinente ? Vous venez toujours mêler vos extravagances à toutes choses, et il n'y a pas moyen de vous apprendre à être raisonnable.

MADAME JOURDAIN. – C'est vous qu'il n'y a pas moyen de rendre sage, et vous allez de folie en folie. Quel est votre dessein, et 160 que voulez-vous faire avec cet assemblage[2] ?

MONSIEUR JOURDAIN. – Je veux marier notre fille avec le fils du Grand Turc.

MADAME JOURDAIN. – Avec le fils du Grand Turc ?

MONSIEUR JOURDAIN. – Oui, faites-lui faire vos compliments par 165 le truchement que voilà.

MADAME JOURDAIN. – Je n'ai que faire de truchement, et je lui dirai bien moi-même, à son nez, qu'il n'aura point ma fille.

MONSIEUR JOURDAIN. – Voulez-vous vous taire, encore une fois ?

DORANTE. – Comment ! madame Jourdain, vous vous opposez à 170 un bonheur comme celui-là ? Vous refusez Son Altesse Turque pour gendre ?

MADAME JOURDAIN. – Mon Dieu, monsieur, mêlez-vous de vos affaires.

DORIMÈNE. – C'est une grande gloire, qui n'est pas à rejeter.

---

1. **Carême-prenant** : personne déguisée pour le carnaval.
5. **Assemblage** : union improbable.

175 MADAME JOURDAIN. – Madame, je vous prie aussi de ne vous
point embarrasser de ce qui ne vous touche pas.

DORANTE. – C'est l'amitié que nous avons pour vous qui nous fait
intéresser dans vos avantages[1].

MADAME JOURDAIN. – Je me passerai bien de votre amitié.

180 DORANTE. – Voilà votre fille qui consent aux volontés de son père.

MADAME JOURDAIN. – Ma fille consent à épouser un Turc ?

DORANTE. – Sans doute.

MADAME JOURDAIN. – Elle peut oublier Cléonte ?

DORANTE. – Que ne fait-on pas pour être grand-dame ?

185 MADAME JOURDAIN. – Je l'étranglerais de mes mains, si elle avait
fait un coup comme celui-là.

MONSIEUR JOURDAIN. – Voilà bien du caquet[2]. Je vous dis que ce
mariage-là se fera.

MADAME JOURDAIN. – Je vous dis, moi, qu'il ne se fera point.

190 MONSIEUR JOURDAIN. – Ah ! que de bruit !

LUCILE. – Ma mère.

MADAME JOURDAIN. – Allez, vous êtes une coquine.

MONSIEUR JOURDAIN. – Quoi ? vous la querellez de ce qu'elle
m'obéit ?

195 MADAME JOURDAIN. – Oui : elle est à moi aussi bien qu'à vous.

COVIELLE. – Madame.

MADAME JOURDAIN. – Que me voulez-vous conter, vous ?

COVIELLE. – Un mot.

MADAME JOURDAIN. – Je n'ai que faire de votre mot.

200 COVIELLE, *à M. Jourdain*. – Monsieur, si elle veut écouter une
parole en particulier, je vous promets de la faire consentir à ce
que vous voulez.

1. **Avantages** : intérêts.
2. **Caquet** : bavardage.

MADAME JOURDAIN. – Je n'y consentirai point.

COVIELLE. – Écoutez-moi seulement.

205 MADAME JOURDAIN. – Non.

MONSIEUR JOURDAIN. – Écoutez-le.

MADAME JOURDAIN. – Non, je ne veux pas écouter.

MONSIEUR JOURDAIN. – Il vous dira...

MADAME JOURDAIN. – Je ne veux point qu'il me dise rien.

210 MONSIEUR JOURDAIN. – Voilà une grande obstination de femme !
Cela vous fera-t-il mal de l'entendre ?

COVIELLE. – Ne faites que m'écouter ; vous ferez après ce qu'il
vous plaira.

MADAME JOURDAIN. – Hé bien ! quoi ?

215 COVIELLE, *à part*. – Il y a une heure, madame, que nous vous faisons signe. Ne voyez-vous pas bien que tout ceci n'est fait que
pour nous ajuster aux visions de votre mari, que nous l'abu-
sons sous ce déguisement et que c'est Cléonte lui-même qui
est le fils du Grand Turc ?

220 MADAME JOURDAIN. – Ah ! ah !

COVIELLE. – Et moi, Covielle, qui suis le truchement.

MADAME JOURDAIN. – Ah ! comme cela, je me rends.

COVIELLE. – Ne faites pas semblant de rien[1].

MADAME JOURDAIN, *haut*. – Oui, voilà qui est fait, je consens au
225 mariage.

MONSIEUR JOURDAIN. – Ah ! voilà tout le monde raisonnable.
Vous ne vouliez pas l'écouter. Je savais bien qu'il vous explique-
rait ce que c'est que le fils du Grand Turc.

MADAME JOURDAIN. – Il me l'a expliqué comme il faut, et j'en suis
230 satisfaite. Envoyons quérir un notaire.

---

1. **Ne faites pas semblant de rien** : faites semblant de rien,
faites comme si de rien n'était.

DORANTE. – C'est fort bien dit. Et afin, madame Jourdain, que vous puissiez avoir l'esprit tout à fait content, et que vous perdiez aujourd'hui toute la jalousie que vous pourriez avoir conçue de monsieur votre mari, c'est que nous nous servirons

235 du même notaire pour nous marier, madame et moi.

MADAME JOURDAIN. – Je consens aussi à cela.

MONSIEUR JOURDAIN, *bas, à Dorante.* – C'est pour lui faire accroire[1] ?

DORANTE, *bas, à Monsieur Jourdain.* – Il faut bien l'amuser avec

240 cette feinte.

MONSIEUR JOURDAIN. – Bon, bon ! *(Haut.)* Qu'on aille vite quérir le notaire.

DORANTE. – Tandis qu'il viendra et qu'il dressera les contrats, voyons notre ballet, et donnons-en le divertissement à Son

245 Altesse Turque.

MONSIEUR JOURDAIN. – C'est fort bien avisé ; allons prendre nos places.

MADAME JOURDAIN. – Et Nicole ?

MONSIEUR JOURDAIN. – Je la donne au truchement ; et ma femme,

250 à qui la voudra.

COVIELLE. – Monsieur, je vous remercie. *(À part.)* Si l'on en peut voir un plus fou, je l'irai dire à Rome.

(La comédie finit par un petit ballet qui avait été préparé.)

---

1. **Lui faire accroire** : la tromper.

Ballet des nations

PREMIÈRE ENTRÉE

Un homme vient donner les livres[1] du ballet, qui d'abord est fatigué[2] par une multitude de gens de provinces différentes, qui crient en musique pour en avoir, et par trois importuns, qu'il trouve toujours sur ses pas.

DIALOGUE DES GENS
qui, en musique, demandent des livres.

TOUS
À moi, Monsieur, à moi de grâce, à moi, Monsieur :
Un livre, s'il vous plaît, à votre serviteur.

HOMME DU BEL AIR[3]
Monsieur, distinguez-nous parmi les gens qui crient.
Quelques livres ici, les Dames vous en prient.

AUTRE HOMME DU BEL AIR
Holà ! Monsieur, Monsieur, ayez la charité
D'en jeter de notre côté.

FEMME DU BEL AIR
Mon Dieu ! qu'aux personnes bien faites[4]
On sait peu rendre honneur céans[5].

AUTRE FEMME DU BEL AIR
Ils n'ont des livres et des bancs
Que pour Mesdames les grisettes[6].

1. **Livres** : programmes.
2. **Qui d'abord est fatigué** : qui est tout de suite importuné.
3. **Du bel air** : à la mode.
4. **Bien faites** : distinguées.
5. **Céans** : ici.
6. **Grisettes** : femmes de condition modeste.

GASCON

Aho ! l'homme aux libres,	Hé ! l'homme aux livres,
qu'on m'en vaille !	qu'on m'en baille !
J'ai déjà lé poumon usé.	J'ai déjà le poumon usé.
Bous boyez qué chacun mé raille ;	Vous voyez que chacun me raille ;
Et jé suis scandalisé	Et je suis scandalisé
De boir és mains dé la canaille	De voir dans les mains
	de la canaille
Cé qui m'est pas bous refusé.	Ce qui m'est par vous refusé.

AUTRE GASCON

Eh cadédis ! Monseu,	Eh par la tête de Dieu ! Monsieur,
boyez qui l'on pût estre :	voyez qui l'on peut bien être ;
Un libret, je bous prie,	Un livret, je vous prie,
au varon d'Asbarat.	au baron d'Asvarat.
Jé pense, mordy, qué lé fat	Je pense, mordieu, que le fat
N'a pas l'honnur dé mé connoistre.	N'a pas l'honneur de me
	connaître.

LE SUISSE

Mon'sieur le donneur de papier,	Monsieur le donneur de papier,
Que veul dir sty façon de fifre ?	Que veut dire cette façon de vivre ?
Moy l'écorchair tout mon gosieir	Moi, j'écorche tout mon gosier
A crieir,	À crier,
Sans que je pouvre afoir ein lifre :	Sans que je puisse avoir un livre :
Pardy, mon foy ! Monsieur,	Pardieu, ma foi ! Monsieur,
Je pense fous l'estre ifre.	Je pense que vous êtes ivre.

VIEUX BOURGEOIS BABILLARD

De tout ceci, franc et net,
Je suis mal satisfait ;
Et cela sans doute est laid,
Que notre fille,

Si bien faite et si gentille,
De tant d'amoureux l'objet,
N'ait pas à son souhait
Un livre de ballet,
Pour lire le sujet
Du divertissement qu'on fait,
Et que toute notre famille
Si proprement s'habille,
Pour être placée au sommet
De la salle, où l'on met
Les gens de Lantriguet[1] :
De tout ceci, franc et net,
Je suis mal satisfait,
Et cela sans doute est laid.

VIEILLE BOURGEOISE BABILLARDE

Il est vrai que c'est une honte,
Le sang au visage me monte,
Et ce jeteur de vers qui manque au capital[2]
L'entend fort mal ;
C'est un brutal,
Un vrai cheval,
Franc animal,
De faire si peu de compte
D'une fille qui fait l'ornement principal
Du quartier du Palais-Royal,
Et que ces jours passés un comte
Fut prendre la première au bal.
Il l'entend mal ;

1. **Lantriguet** : Tréguier, en breton.
2. **Au capital** : à l'essentiel.

C'est un brutal,
Un vrai cheval,
Franc animal.

HOMMES ET FEMMES DU BEL AIR

Ah ! quel bruit !

Quel fracas !

Quel chaos !

Quel mélange !

Quelle confusion !

Quelle cohue étrange !

Quel désordre !

Quel embarras !

On y sèche.

L'on n'y tient pas.

GASCON

Bentre ! jé suis à vout.   Ventre ! je suis à bout.

AUTRE GASCON

J'enrage, Diou mé damne !   J'enrage, Dieu me damne !

SUISSE

Ah que ly faire saif   Ah ! qu'il fait soif
dans sty sal de cians !   dans cette salle de céans !

GASCON

Jé murs.   Je meurs.

AUTRE GASCON

Jé perds la tramontane[1].   Je perds la tramontane.

SUISSE

Mon foy ! moy le foudrois   Ma foi ! Moi, je voudrais
estre hors de dedans.   être dehors.

---

1. **La tramontane** : l'étoile Polaire, qui permettait aux marins
   de connaître leur position.

VIEUX BOURGEOIS BABILLARD

Allons, ma mie,
Suivez mes pas,
Je vous en prie,
Et ne me quittez pas,
On fait de nous trop peu de cas,
Et je suis las
De ce tracas :
Tout ce fatras,
Cet embarras
Me pèse par trop sur les bras,
S'il me prend jamais envie
De retourner de ma vie
À ballet ni comédie,
Je veux bien qu'on m'estropie.
Allons, ma mie,
Suivez mes pas,
Je vous en prie,
Et ne me quittez pas,
On fait de nous trop peu de cas.

VIEILLE BOURGEOISE BABILLARDE

Allons, mon mignon, mon fils[1],
Regagnons notre logis,
Et sortons de ce taudis,
Où l'on ne peut être assis ;
Ils seront bien ébaubis[2]
Quand ils nous verront partis.
Trop de confusion règne dans cette salle,

---

1. **Mon fils** : mon ami (terme d'amitié d'une femme s'adressant
   à son mari).
2. **Ébaubis** : surpris.

Et j'aimerais mieux être au milieu de la Halle.
Si jamais je reviens à semblable régale,
Je veux bien recevoir des soufflets plus de six.
Allons, mon mignon, mon fils,
Regagnons notre logis,
Et sortons de ce taudis,
Où l'on ne peut être assis.

TOUS

À moi, Monsieur, à moi de grâce, à moi, Monsieur :
Un livre s'il vous plaît, à votre serviteur.

DEUXIÈME ENTRÉE

Les trois importuns dansent.

TROISIÈME ENTRÉE

TROIS ESPAGNOLS *chantent.*

Sé que me muero de amor,	Je sais que je meurs d'amour,
Y solicito el dolor.	Et je recherche cette douleur.
Aun muriendo de querer	Quoique mourant de désir,
De tan buen ayre adolezco	Je dépéris de si bon air
Que es mas de lo que padezco	Que ce que je veux souffrir
Lo que quiero padecer	Est plus que ce que je souffre ;
Y no pudiendo exceeder	Et la rigueur de mon mal
A mi deseo el rigor.	Ne peut excéder mon désir.
Sé que me muero de amor,	Je sais que je meurs d'amour
Y solicita el dolor.	Et je recherche la douleur.
Lisonxèame la suerte	Le sort me flatte
Con piedad tan advertida,	Avec une pitié si attentive
Que me asegura la vida	Qu'il me donne la vie
En el riesgo de la muerte.	Dans le danger de la mort.

Vivir de su golpe fuerte	Vivre de son coup violent
Es de mi salud primor.	Est le prodige de mon salut.
Sé que, etc.	Je sais que, etc.
Six Espagnols dansent.	

TROIS MUSICIENS ESPAGNOLS

Ay ! que locura, con tanto rigor	Ah ! quelle folie, de se plaindre
Quexarse de Amor	De l'Amour avec tant de rigueur,
Del niño bonito	De l'enfant gentil
Que todo es dulçura !	Qui est la douceur même !
Ay ! qué locura !	Ah ! quelle folie !
Ay ! qué locura !	Ah ! quelle folie !

ESPAGNOL, *chantant*

El dolor solicbita	La douleur tourmente
El que al dolor se da.	Celui qui s'abandonne à la douleur ;
Y nadie de amor muere,	Et personne ne meurt d'amour,
Sino quien no save amar.	Si ce n'est celui qui ne sait pas aimer.

DEUX ESPAGNOLS

Dulce muerte es el amor	L'amour est une douce mort
Con correspondencia ygual ;	Quand on est payé de retour ;
Y si ésta gozamos oy,	Et si nous en jouissons aujourd'hui,
Porque la quieres turbar ?	Pourquoi la veux-tu troubler ?

UN ESPAGNOL

Alégrese enamorado,	Que l'amant se réjouisse
Y tome mi parecer ;	Et adopte mon avis ;
Que en esto de querer ;	Car, lorsqu'on désire,
Todo es hallar el vado.	Tout est de trouver le moyen.

TOUS TROIS *ensemble*

Vaya, vaya de flestas !	Allons ! allons ! des fêtes !

Vaya de vayle !　　　　　　Allons ! de la danse !
Alegria, alegria, alegria !　　Gai, gai, gai !
Que esto de dolor es fantasia.　La douleur n'est qu'une fantaisie.

QUATRIÈME ENTRÉE

ITALIENS

UNE MUSICIENNE ITALIENNE *fait le premier récit,*
dont voici les paroles :

Di rigori armata il seno,	Ayant armé mon sein de rigueurs,
Contro Amor mi ribellai ;	Je me révoltai contre l'Amour ;
Ma fui vinta in un baleno.	Mais je fus vaincue en un éclair
In mirar duo vagbi rai ;	En regardant deux beaux yeux.
Ahi ! che résiste puoco	Ah ! qu'un cœur de glace
Cor di gelo a stral di fuoco !	Résiste peu à une flèche de feu !
Ma sì càro è'I mio tormento,	Cependant mon tourment m'est si cher,
Dolce è sì la piaga mia,	Et ma plaie est si douce,
Ch'il penare è'I mio contenta,	Que ma peine fait mon bonheur,
E'I sanarmi è tirannia,	Et que me guérir serait une tyrannie.
Abil che più giova e place,	Ah ! plus l'amour est vif,
Quanto amor è piu vivace !	Plus il a de charmes et cause de plaisir !

Après l'air que la musicienne a chanté, deux Scaramouches, deux Trivelins, et un Arlequin[1] *représentent une nuit à la manière des comédiens italiens, en cadence.*

Un musicien italien se joint à la musicienne italienne, et chante avec elle les paroles qui suivent.

---

1. **Scaramouche, Trivelin, Arlequin** : personnages de la Comédie-Italienne.

LE MUSICIEN ITALIEN

Bel tempo che vola	Le beau temps qui s'envole
Rapisce il contenta ;	Emporte le plaisir ;
D'Amor nella scola	À l'école d'Amour
Si coglie il momento.	On cueille le moment.

LA MUSICIENNE

Insin che florida	Tant que l'âge en fleur
Ride l'età,	Nous rit,
Che pur tropp'orrida (bis)	L'âge qui trop promptement, hélas !
Da noi sen và,	S'éloigne de nous,

TOUS DEUX

Sù cantiamo,	Chantons,
Sù godiamo	Jouissons,
Ne'bei dì di gioventù :	Dans les beaux jours de la jeunesse :
Perduto ben non si racquista più	Un bien perdu ne se recouvre plus.

Illustration de Leman et Lelois pour Le Bourgeois gentilhomme.
Paris, bibliothèque de l'Arsenal.

MUSICIEN

Pupilla che vaga	Un œil dont la beauté
Mill'alme incatena	Enchaîne mille cœurs
Fà dolce la piaga	Fait douce la plaie,
Felice la pena	Le mal qu'il cause est un bonheur.

MUSICIENNE

Ma poiche frigida	Mais quand languit
Langue l'età,	L'âge glacé,
Più l'alma rigida (bis)	L'âme engourdie
Fiamme non ha.	N'a plus de feux.

TOUS DEUX

Sù cantiamo, etc.	Chantons, etc.

Après le dialogue italien, les Scaramouches et Trivelins dansent une réjouissance.

CINQUIÈME ENTRÉE

FRANÇAIS

PREMIER MENUET

DEUX MUSICIENS POITEVINS *dansent, et chantent les paroles qui suivent.*

Ah ! qu'il fait beau dans ces bocages !
Ah ! que le ciel donne un beau jour !

AUTRE MUSICIEN

Le rossignol, sous ces tendres feuillages,
Chante aux échos son doux retour.
Ce beau séjour,
Ces doux ramages,
Ce beau séjour
Nous invite à l'amour.

SECOND MENUET
TOUS DEUX *ensemble.*

Vois, ma Climène,
Vois sous ce chêne
S'entre-baiser ces oiseaux amoureux.
Ils n'ont rien dans leurs vœux
Qui les gêne,
De leurs doux feux
Leur âme est pleine.
Qu'ils sont heureux !
Nous pouvons tous deux,
Si tu le veux,
Être comme eux.

Six autres Français viennent après, vêtus galamment à la poitevine, trois en hommes et trois en femmes, accompagnés de huit flûtes et de hautbois, et dansent les menuets.

SIXIÈME ENTRÉE

Tout cela finit par le mélange des trois nations[1], et les applaudisse-ments en danse et en musique de toute l'assistance, qui chante les deux vers qui suivent.

Quels spectacles charmants, quels plaisirs goûtons-nous !
Les dieux mêmes, les dieux n'en ont point de plus doux.

1. **Des trois nations** : les Espagnols, les Italiens et les Français.

Cérémonie turque, gravure de Melchior Küsel d'après un dessin de J.- W. Baur, XVIIᵉ siècle. Paris, bibliothèque des Arts décoratifs.

Le Bourgeois gentilhomme

Une comédie-ballet satirique

REPÈRES

PARCOURS DE L'ŒUVRE

TEXTES ET IMAGE

Qu'est-ce qu'une comédie ?

La comédie existe depuis l'Antiquité mais elle a longtemps été considérée comme un genre mineur. C'est Molière qui lui a donné ses lettres de noblesse.

● **UN PEU D'HISTOIRE**

La comédie, comme la tragédie, est née en Grèce. Au Moyen Âge, elle prend la forme de la farce, courte pièce comique jouée en plein air, devant un public populaire. Elle réapparaît au XVIᵉ siècle avec la commedia dell'arte où les acteurs interprètent, à partir d'un simple canevas, des rôles très typés, identiques d'une pièce à l'autre : Arlequin, Pantalon, Brighella...

> **Les quatre caractéristiques clés de la comédie**
>
> *1. Elle met en scène des personnages ordinaires.*
> *2. L'action est contemporaine de l'écriture de la pièce.*
> *3. Le dénouement est nécessairement heureux.*
> *4. Son objectif est de faire rire et, par le rire, de « corriger les mœurs » (castigat ridendo mores).*

● **LES PROCÉDÉS COMIQUES**

Pour faire rire, la comédie recourt à différents procédés. On peut ainsi distinguer :
– le **comique de gestes** (grimaces, coups de bâton, poursuites...) ;
– le **comique de mots** (termes familiers, répétitions, jeux de mots...) ;
– le **comique de situation** (quiproquos, renversements de situation...) ;
– le **comique de caractère** (manifestations d'un défaut excessif d'un personnage).

● **LES DIFFÉRENTS TYPES DE COMÉDIE**

Tout en s'inspirant de la farce médiévale et de la commedia dell'arte, Molière renouvelle profondément le genre et s'essaie à plusieurs formes de comédie :
– la **comédie d'intrigue**, qui met l'accent sur l'action (ex. : *Les Fourberies de Scapin*) ;
– la **comédie de caractère**, centrée sur un personnage dont la manie perturbe l'équilibre familial et social (ex. : Harpagon dans *L'Avare*) ;
– la **comédie de mœurs**, qui s'attaque par la satire aux travers de la société (ex. : satire de la bourgeoisie qui veut singer la noblesse dans *Le Bourgeois*).

Qu'est-ce qu'une satire ?

La vocation première d'une comédie est de faire rire. Quand ce rire sert à exprimer une critique sur les défauts de la société et les travers de l'homme, la comédie se double d'une satire.

● **CRITIQUER EN FAISANT RIRE**

Dans *Le Bourgeois gentilhomme*, Molière fait la satire de la bourgeoisie comme de la noblesse désargentée de Versailles qui vit en parasite.

La pièce caricature une certaine frange de la bourgeoisie qui, aspirant à sortir de sa condition d'origine, est prête à tout pour acquérir un titre de noblesse. M. Jourdain sombre en effet dans le ridicule à force de vouloir ressembler à son modèle : l'homme de qualité. Il va même jusqu'à déclarer qu'« [il] voudrait qu'il lui en eût coûté deux doigts de la main et être né comte ou marquis » (III, 14).

La charge contre la noblesse n'est pas non plus en reste. Le personnage de Dorante présente en effet tous les vices du courtisan : intrigant, menteur, dépensier, malhonnête.

Les caractéristiques de la satire

On appelle satire tout texte qui attaque quelque chose ou quelqu'un par la raillerie. C'est un genre qui remonte à l'Antiquité. Les caractères communs de la satire sont les suivants :
1. La satire combat son objet par le ridicule, ce qui fait naître le comique.
2. Elle a un caractère d'actualité : ce sont les défauts, les vices de ses contemporains que l'auteur dénonce, même s'il s'en prend à la nature humaine en général.
Chez Molière, la satire est avant tout sociale et morale. Au XVIIIe siècle, avec Voltaire par exemple, elle se fera plus politique.

● **DES PERSONNAGES QUI N'ONT PAS VIEILLI**

Les folies de M. Jourdain correspondent aux aspirations d'une fraction de la population à l'époque de Molière – aspirations qui n'ont rien perdu de leur actualité. Monsieur Jourdain préfigure en effet ceux que l'on nomme, depuis le XIXe siècle, « parvenus », « nouveaux riches » ou « snobs », qui s'efforcent d'éblouir les autres en étalant des signes extérieurs de réussite sociale ou de distinction (griffes, logos...).

Qu'appelle-t-on comédie-ballet ?

« Pour donner du plaisir au plus grand roi du monde » (prologue de L'Amour médecin), Molière invente la comédie-ballet, où se mélangent adroitement la comédie, la musique et la danse.

● **DIVERTIR LE ROI ET LA COUR**

La comédie-ballet est inventée par Molière en août 1661 avec *Les Fâcheux*, à l'occasion des fêtes offertes au jeune Louis XIV par le surintendant Fouquet dans les jardins du château de Vaux-le-Vicomte. *Les Fâcheux* sont à l'origine un ballet de cour, comportant des intermèdes dansés et des récits chantés, sur une intrigue définie par les gens de la cour. Pour donner aux danseurs le temps de se changer entre les « entrées » du ballet, Molière imagine de placer celles-ci entre les scènes d'une comédie portant sur le même thème que le ballet.

Dans l'Avertissement des *Fâcheux*, Molière insiste sur l'aspect hasardeux de sa création et précise que l'on a « cousu du mieux que l'on [a pu] » les intermèdes dansés à l'intrigue de la pièce. Mais il faut attendre *Le Bourgeois gentilhomme*, en 1670, pour que Molière donne le nom de comédie-ballet au mélange qu'il venait d'inventer.

● **UN GENRE NOUVEAU ?**

Il existe des antécédents à la comédie-ballet. Ainsi, les spectacles de la commedia dell'arte comportaient des intermèdes musicaux et des passages dansés. Au XVIIᵉ siècle, la représentation des tragédies était souvent entrecoupée d'intermèdes musicaux. Le mérite de Molière est de « ne faire qu'une seule chose de la comédie et du ballet » (prologue des *Fâcheux*), en les réunissant dans un spectacle complet où la danse et la musique sont intégrées à l'action.

Les dix comédies-ballets de Molière

Les Fâcheux, 1661 ; *Le Mariage forcé*, 1664 ; *La Princesse d'Élide*, 1664 ; *L'Amour médecin*, 1665 ; *Le Sicilien ou l'Amour peintre*, 1667 ; *Georges Dandin*, 1668 ; *Monsieur de Pourceaugnac*, 1669 ; *Les Amants magnifiques*, *Le Bourgeois gentilhomme*, 1670 ; *La Comtesse d'Escarbagnas*, 1671 ; *Le Malade imaginaire*, 1673 (pour ces deux dernières, la musique est de Marc-Antoine Charpentier).

Deux modèles du genre

La réussite de la comédie-ballet est parfaite lorsque Molière parvient à relier harmonieusement l'intermède chanté et dansé et la pièce. Tel est le cas dans Le Bourgeois gentilhomme et Le Malade imaginaire, où loin de n'être que de purs ornements, les moments de musique et de danse sont indispensables à l'action et à la peinture des deux héros. Par la métamorphose de M. Jourdain en Mamamouchi et d'Argan en médecin, Molière montre comment l'illusion et la démesure s'inscrivent également dans la dramaturgie : la pièce devient plus spectaculaire à mesure que M. Jourdain et Argan deviennent plus extravagants.

● DE LA COMÉDIE-BALLET À LA COMÉDIE MUSICALE

La comédie-ballet n'a compté qu'un petit nombre d'œuvres : Molière en a composé dix, le plus souvent en collaboration avec *Lully*. Même si elle eut un grand succès au XVIIe siècle, même si elle s'épanouit dans le cadre prestigieux des châteaux de Chambord, Saint-Germain-en-Laye, Versailles, elle n'en a pas moins été éphémère.

Cependant, le genre créé par Molière a donné naissance à d'autres manifestations de spectacle total, parmi lesquelles la comédie musicale. Certaines, très célèbres, ont été écrites pour le cinéma : *Singing in the rain* (Stanley Donen et Gene Kelly, 1952), *West Side Story* (Robert Wise, 1961) ou, en France, *Les Demoiselles de Rochefort* (Jacques Demy, 1967). Depuis les années 1990, de nombreuses comédies musicales sont régulièrement montées sur scène, par exemple *Le Roi lion* (Julie Taymor, 1997), *Notre-Dame de Paris* (Gilles Maheu, 1998), ou encore *Le Roi Soleil* (Kamel Ouali, 2005).

Le compositeur Jean-Baptiste Lully (1632-1687) est un ami de Molière, avec qui il travaille à partir de 1664. Leur collaboration atteint son point culminant avec la turquerie du Bourgeois gentilhomme. Après s'être brouillé avec Molière, Lully se tourne vers l'opéra, dont il peut être considéré comme le créateur en France.

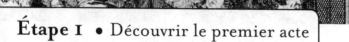

Étape I • Découvrir le premier acte

SUPPORT • Les trois scènes de l'acte I.

OBJECTIF • Mettre en évidence la fonction d'exposition de l'acte I.

As-tu bien lu ?

1 Quels personnages interviennent dans l'acte I ? Monsieur Jourdain apparaît-il dès la première scène ?

2 Quelle est la lubie de M. Jourdain, selon les deux maîtres ?
☐ être riche ☐ être célèbre ☐ être un homme de qualité

3 Quelle image les maîtres de danse et de musique donnent-ils de M. Jourdain ?
☐ un homme éclairé et cultivé
☐ un homme prétentieux et inculte
☐ un homme sournois et intrigant

Scène 1 : piquer la curiosité du spectateur

4 Relève les mots et expressions du maître de musique et du maître de danse qui font référence au héros, alors qu'il n'est pas encore entré sur scène. Qu'apprend-on à son sujet ?

5 Sur quels points les maîtres sont-ils d'accord ? Sur quels points sont-ils en désaccord ? Lequel des deux te semble le plus sympathique ? Pourquoi ?

6 Pourquoi, selon toi, le spectateur n'est-il pas mis immédiatement en présence du héros ? À ton avis, quel peut être l'intérêt de cette conversation ?

Scène 2 : donner à voir un personnage ridicule et réjouissant

7 Quelles sont les préoccupations de M. Jourdain ? Aide-toi du texte pour répondre.

8 Pourquoi la réplique « Donnez-moi ma robe pour mieux entendre » est-elle comique ?

9 Que peut-on dire des jugements artistiques de M. Jourdain, lorsqu'il communique son enthousiasme en ces termes : les danseurs « se trémoussent bien », et le ballet est une « petite drôlerie » ?

10 Relève dans la scène 2 les flatteries, louanges et compliments qui te semblent peu sincères. Quel est, selon toi, leur objectif ?

11 De quoi les maîtres veulent-ils persuader M. Jourdain ? Relève un argument du maître à danser qui te semble peu convaincant. Pourquoi cet argument n'est-il pas valable ?

La langue et le style

12 Fais une recherche sur le sens, au XVIIe siècle, des mots et expressions suivants : « gentilhomme » ; « gens de qualité » (trois occurrences dans la scène 2, l. 74, 88, 154) ; « honnête homme » (expression utilisée par le maître à danser dans la scène 1, l. 55).

13 Relis le débat entre le maître à danser et le maître de musique et relève, dans la tirade du premier, les mots et expressions relatifs à l'idée de « gloire » et, dans celle du second, ceux qui se rapportent au thème de l'argent. Présente ton relevé sous forme de tableau à deux colonnes.

Faire le bilan

14 Quelle est la fonction de l'acte I ? Comment le caractériser ? Complète le texte à l'aide des mots suivants : bourgeois – comédie-ballet – exposition – fête – gentilhomme – naïves – ridicule.

Les deux scènes de l'acte I servent d'. . . . . . : on y apprend que M. Jourdain, riche . . . . . . , prétend devenir un . . . . . . , les maîtres de musique et à danser étant chargés de lui enseigner les manières correspondant à cette condition. Ces deux maîtres, afin de démontrer à M. Jourdain la supériorité de leur art, argumentent à qui mieux mieux. Dès son apparition sur scène, dans la scène 2, M. Jourdain nous fait rire par ses manières . . . . . . et sa prétention . . . . L'acte se clôt dans une atmosphère de . . . . . . , sur un dialogue en musique et un intermède dansé. C'est bien une . . . . . . qui commence.

À toi de jouer

15 Adapte dans un langage contemporain la tirade du maître à danser ou celle du maître de musique.

Étape 2 • Caractériser le maître de philosophie et sa « leçon »

SUPPORT • Les scènes 3 et 4 de l'acte II.

OBJECTIF • Analyser le comique des personnages et la charge satirique.

As-tu bien lu ?

1 Quel est le sujet de la dispute entre les maîtres dans la scène 3 ?
☐ Chacun a un point de vue différent sur M. Jourdain.
☐ Chacun revendique la supériorité de sa profession sur celle des autres.
☐ Ils se disputent pour des raisons d'argent.

2 Sur quelle matière porte finalement la leçon du maître de philosophie ?

☐ la logique

☐ la physique

☐ la morale

☐ l'orthographe

3 Quel genre de texte M. Jourdain veut-il écrire à la « personne de qualité » dont il est amoureux ?

☐ un poème   ☐ un ex-voto   ☐ un billet galant

La philosophie ou l'art de la sagesse...

4 Cherche l'étymologie du mot « philosophe ». Te semble-t-elle en accord avec le comportement du maître de philosophie dans la scène 3 ? Relève les formules qui pouvaient laisser penser que le maître de philosophie est un sage. À quel moment la situation bascule-t-elle ?

5 Pourquoi le maître de philosophie fait-il des citations en latin (scène 4, l. 201-202, 224) ? À ton avis, quel est son objectif ?

6 Quelle image Molière veut-il donner du philosophe ?

« La belle chose que de savoir quelque chose ! »

7 Pourquoi M. Jourdain refuse-t-il d'étudier les disciplines proposées par le maître de philosophie ? Justifie ta réponse pour chacun de ses refus.

8 En quoi consiste finalement la leçon de philosophie ? Pourquoi l'enthousiasme de M. Jourdain nous fait-il rire ?

9 Malgré tous ses défauts, quels sont les aspects de la personnalité de M. Jourdain qui nous le rendent sympathique ?

La langue et le style

10 Donne la définition du mot « prose », et cite un terme appartenant à la même famille.

11 Établis le schéma de la phrase « Belle marquise, vos beaux yeux me font mourir d'amour » (scène 4, l. 347-348), en analysant sa structure. Peut-on modifier l'ordre des groupes de mots ? Justifie ta réponse.

12 Indique la nature et la fonction des propositions subordonnées dans ces phrases de la scène 4 :

– « Ah ! monsieur, je suis fâché des coups qu'ils vous ont donnés. » (l. 192-193)
– « Voulez-vous que je vous apprenne la logique ? » (l. 214)
– « Au reste, il faut que je vous fasse une confidence. Je suis amoureux d'une personne de grande qualité et je souhaiterais que vous m'aidassiez à lui écrire quelque chose dans un petit billet que je veux laisser tomber à ses pieds. » (l. 318-322)

Faire le bilan

13 En quoi le maître de philosophie est-il un personnage comique ? En quoi M. Jourdain l'est-il également ? De quoi Molière fait-il la satire dans ces deux scènes ? Rédige ta réponse en une dizaine de lignes au maximum.

À toi de jouer

14 Imagine une mise en scène de la seconde partie de la scène 4 (à partir de « Apprenez-moi l'orthographe », l. 251). Prépare le travail d'interprétation en indiquant des didascalies supplémentaires (voix, mimiques, gestes, déplacements).

Étape 3 • Observer la progression de l'action

SUPPORT • Scènes 12, 13 et 16 de l'acte III.

OBJECTIF • Étudier comment se noue l'intrigue à l'acte III.

As-tu bien lu ?

1 Complète le tableau suivant.

Scène ...	Mme Jourdain invite .... à demander Lucile en mariage à M. Jourdain.
Scène ...	Cléonte n'étant pas .... et refusant de .... à M. Jourdain, celui-ci refuse de lui accorder ....
Scène ...	Invitée par Dorante chez M. Jourdain, ... reproche à celui-ci les témoignages de sa passion tout en montrant qu'elle n'y est pas insensible.
Scène ...	Persuadé que la marquise est venue pour lui, M. Jourdain essaye de lui ....

L'intrigue amoureuse principale : le refus de M. Jourdain (scènes 12 et 13)

2 Relis la tirade de Cléonte dans la scène 12 (l. 720 à 734) et relève le champ lexical du mensonge. Que peut-on en conclure sur lui ? À quel autre personnage s'oppose-t-il ?

3 Pourquoi M. Jourdain ne veut-il pas de Cléonte pour gendre ? Qu'en pense Mme Jourdain ?

4 Scène 13 : quel stratagème Covielle invente-t-il pour « débloquer » la situation ? Quel est l'intérêt de ce stratagème ?

L'intrigue amoureuse secondaire : le double jeu de Dorante (scène 16)

5 Relève, dans la scène 16, une didascalie qui montre que Dorante joue un double jeu. Comment, au théâtre, appelle-t-on ce type d'intervention ?

6 Pourquoi Dorante ne veut-il pas que M. Jourdain parle à Dorimène du diamant qu'il lui a offert ?

7 Indique un moment où Dorante détourne habilement la conversation, parce qu'il craint que, bien malgré lui, M. Jourdain ne le trahisse.

La langue et le style

8 Dans la scène 13, relève toutes les phrases interrogatives.
a. Laquelle exprime en fait une exclamation ?
b. Qui pose les questions dans la seconde partie de la scène ? Obtient-il les réponses souhaitées ?

9 Identifie le type de discours dans la phrase suivante : « Il dit, madame, qu'il vous trouve la plus belle personne du monde » (l. 913-914). Pourquoi, selon toi, Dorante recourt-il à ce type de discours ?

Faire le bilan

10 Montre comment l'intrigue progresse dans l'acte III, en complétant le texte ci-dessous.

Cléonte demande la main de . . . . à son père, qui la lui . . . . . . ,
le jeune homme ayant eu . . . . . .'. d'avouer qu'il n'est pas gentilhomme.
Covielle imagine alors un . . . . . . pour aider son . . . . . . à épouser Lucile.
Monsieur Jourdain sort un instant et l'on apprend que . . . . . . avait raison
de se défier de . . . . . . : celui-ci joue en effet un . . . . . . et veut séduire
. . . . . . pour son propre compte. Monsieur Jourdain revient et le voilà qui
cherche à faire sa . . . . . . à la jeune femme.

À toi de jouer

11 Imagine et écris un dialogue théâtral entre deux personnages, dont l'un est un hypocrite. Tu utiliseras des apartés pour faire apparaître le double jeu du personnage.
Aide à l'écriture : tu peux, par exemple, commencer ta scène en développant la suite de la tirade suivante :

« Damis. – Ah c'est toi ! Mais c'est incroyable, tu n'as pas changé du tout ! *(À part.)* Comme elle a vieilli ! *(Haut.)* Tu es rayonnante... ».

Étape 4 • Étudier le dénouement de la pièce

SUPPORT • Scènes 5 et 6 de l'acte V.

OBJECTIF • Analyser les caractéristiques propres au dénouement de comédie.

As-tu bien lu ?

1 Qui est le fils du Grand Turc ?
☐ Dorante
☐ Covielle
☐ Cléonte

2 Pourquoi Lucile accepte-t-elle de se marier avec le fils du Grand Turc ?
☐ parce qu'elle a reconnu Cléonte
☐ parce qu'elle veut jouer un bon tour à Covielle
☐ parce qu'elle souhaite obéir à son père

3 Coche les affirmations qui sont vraies. À la fin de la pièce :
☐ Cléonte et Lucile se marient.
☐ Le notaire marie également Dorante et Dorimène.
☐ M. Jourdain finit par comprendre qu'il a été dupé.

Un dénouement de comédie

4 Retrouve trois procédés comiques dans le dénouement du *Bourgeois gentilhomme*. Complète la première colonne du tableau.

Comique de	M. Jourdain est si crédule qu'il est persuadé qu'après avoir été fait *Mamamouchi*, il va marier sa fille avec le fils du Grand Turc.
Comique de	Lucile puis Mme Jourdain finissent par céder à M. Jourdain quand elles découvrent qui est le fils du Grand Turc.
Comique de	La répétition des expressions « fils du Grand Turc », « Son Altesse Turque », expressions qui ne correspondent à aucune réalité.

5 Dans un dénouement de comédie, tous les personnages positifs retrouvent le bonheur.
Est-ce le cas dans *Le Bourgeois gentilhomme* ? Pourquoi ?

Un retour à la raison ou un éloge de la folie ?

6 Qui prononce la dernière réplique de la pièce ? À ton avis, que signifie-t-elle ?

7 En quoi la folie de M. Jourdain est-elle à l'origine d'un dénouement heureux ? Le Bourgeois retrouve-t-il la raison ? Justifie ta réponse.

La langue et le style (acte V, scène 1)

8 Quel est l'effet produit par la succession de répliques courtes dans cette scène ?

9 Quels sont les types de phrases employés par Mme Jourdain ? Que traduisent-elles de l'état du personnage ?

Faire le bilan

10 Complète le texte suivant pour montrer que le dénouement du *Bourgeois gentilhomme* n'est pas tout à fait conforme à ce que l'on attend d'un dénouement de comédie.

À la fin de la pièce, tous les personnages sont réunis sur scène. Comme dans tout dénouement de comédie, tout finit de manière . . . . . . par des . . . . Mais le héros n'a tiré aucune . . . . . . de son expérience et reste . . . . . . jusqu'à la fin. Dorante continue de lui faire croire que la marquise l'aime et Covielle peut conclure : « . . . . . . ».

À toi de jouer

11 Écrire un dialogue argumentatif.

Tes parents te refusent quelque chose dont tu as envie depuis longtemps (Internet dans ta chambre, un animal, une sortie ou un voyage...). Imagine une scène de théâtre dans laquelle tu tenteras de les faire changer d'avis.

12 Tu es journaliste et tu dois rendre compte du *Bourgeois gentilhomme* pour ton journal. Rédige ta critique en une quinzaine de lignes.

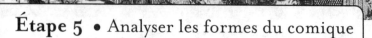

Étape 5 • Analyser les formes du comique

SUPPORT • Toute la pièce.

OBJECTIF • De quoi et de qui rit-on dans cette pièce, et pourquoi ?

As-tu bien lu ?

1 Parmi les personnages de la pièce cités ci-dessous, lesquels sont comiques ?

- ☐ M. Jourdain
- ☐ Mme Jourdain
- ☐ Dorante
- ☐ Dorimène
- ☐ Cléonte
- ☐ Lucile

2 Pour quelle raison, dans l'acte III, scène 2, Nicole éclate-t-elle de rire lorsque son maître entre sur scène ?

Des personnages et des situations qui nous font rire

3 Les personnages cités ci-dessous font rire dans les scènes indiquées : explique pourquoi.

Personnages	Quand ?	Pourquoi ?
Les maîtres	Acte III, scène 3	Le maître de philosophie, censé arbitrer une dispute, se retrouve à donner et à recevoir des coups.
Cléonte et Covielle	Acte III, scènes 9 et 10	
Madame Jourdain	Acte V, scène 6	

4 Mais c'est M. Jourdain qui semble le personnage le plus comique. Indique à quelles formes de comique (de caractère, de situation, de gestes) correspondent les analyses ci-dessous.

– M. Jourdain veut devenir un homme de qualité mais ses manières sont grossières. Il est par ailleurs parfaitement inculte.

– Il est trompé par Dorante qui lui emprunte de l'argent pour faire sa cour à Dorimène et lui fait croire que la marquise est amoureuse de lui.

– Quand M. Jourdain salue Dorimène, il l'oblige maladroitement
à reculer de manière à pouvoir faire la révérence qu'il a apprise.

Une atmosphère de fête

5 La situation est-elle vraisemblable ? Le spectateur en est-il gêné pour
autant ? Pourquoi ?

6 Relève des éléments qui font que la pièce verse dans la bouffonnerie.

La langue et le style

7 Le comique de mots : relie par des flèches chaque procédé à un exemple
précis.

Injures	« *Se ti sabir, Ti respondir ; Se non sabir, Tazir, tazir* »
Grandiloquence	« Madame, ce m'est une gloire bien grande de me voir assez fortuné pour être si heureux que d'avoir le bonheur que vous ayez eu la bonté [...] de m'honorer de la faveur de votre présence »
Incorrections, maladresses	« – Comment va Madame Jourdain ? – Elle se porte sur ses deux jambes »
Jeux de mots	« Monsieur, je vous souhaite la force des serpents et la prudence des lions »
Langage turc de fantaisie	« Infâmes ! coquins ! insolents ! »

Faire le bilan

8 En une dizaine de lignes, explique pourquoi *Le Bourgeois gentilhomme*
est une pièce comique.

À toi de jouer

9 Imagine la suite de la pièce, c'est-à-dire la cérémonie des mariages.
Deux options possibles : ou bien M. Jourdain reste dans l'illusion,
ou bien il découvre brutalement la réalité. Attention, la scène doit
être drôle !

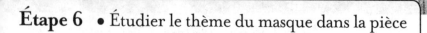

Étape 6 • Étudier le thème du masque dans la pièce

SUPPORT • Toute la pièce.

OBJECTIF • Étudier les mensonges, les travestissements et les mascarades dans *Le Bourgeois gentilhomme*.

As-tu bien lu ?

1 Dans la pièce, de nombreux personnages jouent à être ce qu'ils ne sont pas :
– Monsieur Jourdain prétend être :
☐ un homme de qualité
☐ un riche marchand
☐ un autodidacte

– Dorante prétend être :
☐ le fournisseur de M. Jourdain
☐ l'ami de M. Jourdain
☐ son maître de philosophie

2 Quelle langue Cléonte et Covielle utilisent-ils ?
☐ l'arabe dialectal
☐ une langue imaginaire
☐ le turc ancien

Mensonges et faux-semblants

3 Les maîtres de M. Jourdain jouent un double jeu : justifie cette affirmation.

4 Que fait croire Dorante à M. Jourdain (cite deux mensonges au moins) ? Que fait-il croire à Dorimène ? Leur dit-il la vérité à la fin de la pièce ? Justifie ta réponse.

5 Pourquoi Covielle, Mme Jourdain et Lucile finissent-ils eux aussi par mentir à M. Jourdain ? Leur intérêt est-il financier ? Justifie ta réponse.

6 Pourquoi peut-on dire que les tentatives de M. Jourdain pour être un « homme de qualité » sont vouées à l'échec ? Cette situation est-elle pathétique ?

7 Que signifient, selon toi, ces deux répliques :

– la première de Mme Jourdain : « Qui vous a fagoté comme cela ? » (V, 1, l. 4-5) ?

– la seconde de Lucile : « Comment, mon père, comme vous voilà fait ! » (V, 5, l. 129) ?

Le théâtre dans le théâtre

8 Pourquoi peut-on considérer Covielle comme un double de Molière ?

9 Quelles sont les fonctions du costume dans *Le Bourgeois gentilhomme* ?

La langue et le style

10 Recherche dans le dictionnaire des mots appartenant à la famille de « masque » et utilise-les dans des phrases.

Faire le bilan

11 Essaie d'expliquer en deux paragraphes pourquoi, dans *Le Bourgeois gentilhomme*, le déguisement joue un rôle important.

À toi de jouer

12 Relève plusieurs éléments relatifs aux différents costumes portés par M. Jourdain au cours de la pièce.
Aide-toi des notes si nécessaire.

13 Devenir costumier
Imagine trois costumes différents pour M. Jourdain, tous plus extravagants et ridicules les uns que les autres. Tu peux faire des croquis ou proposer des collages.

Étape 7 • Étudier la cérémonie turque à la lumière de l'enquête

SUPPORT • La cérémonie turque (acte IV, scène 5) et l'enquête.

OBJECTIF • Analyser les « turqueries » dans la pièce et l'image qu'elle donne des Turcs.

As-tu bien lu ?

1 Le Mamamouchi est également appelé :
☐ Grand Mufti
☐ Grand Poussah
☐ baladin
☐ Saladin
☐ paladin

2 Cléonte joue le rôle du :
☐ grand échanson
☐ traducteur
☐ Premier ministre

3 Quel personnage célèbre est capturé en 1575 par les pirates d'Afrique du Nord ?
☐ Carlo Collodi
☐ Cervantès
☐ Sélim 1er
☐ Sinan

4 Dans quel château l'émissaire du Grand Turc est-il reçu par Louis XIV ?
☐ Versailles
☐ Fontainebleau
☐ Saint-Germain

Des Turcs réels...

5 Pourquoi les rapports entre la France et la Turquie se sont-ils envenimés sous le règne du Roi Soleil ? Cite deux raisons.

6 Pourquoi, à l'époque de Louis XIV, certains prisonniers chrétiens ont-ils accepté de « se faire Turcs » ?

7 Qui est le chevalier d'Arvieux ? Quel rôle a-t-il joué auprès de Molière ?

8 De quel auteur Molière s'est-il également inspiré pour la représentation des Turcs ?

... aux Turcs de comédie

9 Quels éléments évoquant les coutumes turques peux-tu observer dans la scène 5 de l'acte IV ? Pour répondre, aide-toi des didascalies.

10 Dans la scène 5 de l'acte IV, quels sont les attributs qui font de M. Jourdain un Turc ?

11 Qu'est-ce qui, dans la tenue du personnage, semble ridicule ?

12 Qu'est-ce qui, dans ses manières, semble tout aussi ridicule ?

13 Le langage turc utilisé dans la cérémonie d'intronisation de M. Jourdain est-il réaliste ? Justifie ta réponse.

La langue et le style

14 Cherche l'étymologie des mots « mufti » et « derviche ».

15 D'où vient le mot « mamamouchi » ?

16 Explique et utilise les mots suivants dans des phrases :
baladin – paladin – corsaire – pirate – grand vizir.

Faire le bilan

17 En quoi Le Bourgeois gentilhomme est-il une turquerie ?

18 Dans cette pièce, l'objectif de Molière était-il de faire une peinture exacte des mœurs orientales ? Justifie ta réponse.

19 Prépare un exposé sur (au choix) :
  – l'architecte Sinan ;
  – le sultan Soliman le Magnifique ;
  – les pirates en Méditerannée au XVIIe siècle.

De la figure de la précieuse à celle du snob :
groupement de documents

OBJECTIF • Du XVIIᵉ siècle à nos jours : comment se distinguer ?

DOCUMENT 1 🍂 MOLIÈRE, *Les Précieuses ridicules,* 1659, scène 4.

Magdelon et Cathos sont deux précieuses, c'est-à-dire qu'elles cherchent à se distinguer du commun des mortels par un comportement, un langage, des sentiments d'un raffinement et d'une délicatesse affectés. Dans cette scène, elles s'opposent à Gorgibus, auquel elles reprochent son réalisme dénué de poésie.

[...]

MAGDELON. – Eh ! de grâce, mon père, défaites-vous de ces noms étranges, et nous appelez autrement.

GORGIBUS. – Comment, ces noms étranges ? Ne sont-ce pas vos noms de baptême ?

MAGDELON. – Mon Dieu ! que vous êtes vulgaire ! Pour moi, un de mes étonnements, c'est que vous ayez pu faire une fille si spirituelle que moi. A-t-on jamais parlé dans le beau style de Cathos ni de Magdelon ? et ne m'avouerez-vous pas que ce serait assez d'un de ces noms pour décrier le plus beau roman du monde ?

CATHOS. – Il est vrai, mon oncle, qu'une oreille un peu délicate pâtit furieusement à entendre prononcer ces mots-là, et le nom de Polyxène, que ma cousine a choisi, et celui d'Aminte, que je me suis donné, ont une grâce dont il faut que vous demeuriez d'accord.

GORGIBUS. – Écoutez, il n'y a qu'un mot qui serve : je n'entends point que vous ayez d'autres noms que ceux qui vous ont été donnés par vos parrains et marraines ; et pour ces Messieurs dont il est question, je connais leurs familles et leurs biens, et je veux résolument que vous vous disposiez à les recevoir pour maris. Je me lasse de vous avoir sur les bras, et la garde de deux filles est une charge un peu trop pesante pour un homme de mon âge.

CATHOS. – Pour moi, mon oncle, tout ce que je vous puis dire c'est que je trouve le mariage une chose tout à fait choquante. Comment est-ce qu'on peut souffrir la pensée de coucher contre un homme vraiment nu ?

MAGDELON. – Souffrez que nous prenions un peu haleine parmi le beau monde

de Paris où nous ne faisons que d'arriver. Laissez-nous faire à loisir le tissu de notre roman, et n'en pressez point tant la conclusion.

GORGIBUS. – Il n'en faut point douter, elles sont achevées[1]. Encore un coup, je n'entends rien à toutes ces balivernes ; je veux être maître absolu ; et pour trancher toutes sortes de discours, ou vous serez mariées toutes deux avant qu'il soit peu, ou, ma foi ! vous serez religieuses, j'en fais un bon serment.

1. **Achevées** : complètement folles (terme populaire).

DOCUMENT 2 🐦 MARCEL PROUST (1871-1922), *Du côté de chez Swann*, 1913.

Au début du XXᵉ siècle, Mme Verdurin, une riche bourgeoise, tient un salon. Son ambition est de rivaliser avec ceux de l'aristocratie. Le narrateur la décrit, recevant ses familiers, « assise sur un haut siège suédois en sapin ciré ».

De ce poste élevé elle participait avec entrain à la conversation des fidèles et s'égayait de leurs « fumisteries[1] », mais depuis l'accident qui était arrivé à sa mâchoire, elle avait renoncé à prendre la peine de pouffer effectivement et se livrait à la place à une mimique conventionnelle qui signifiait, sans fatigue ni risques pour elle, qu'elle riait aux larmes.

Au moindre mot que lâchait un habitué contre un ennuyeux ou contre un ancien habitué rejeté au camp des ennuyeux – et pour le plus grand désespoir de M. Verdurin qui avait eu longtemps la prétention d'être aussi aimable que sa femme, mais qui, riant pour de bon, s'essoufflait vite et avait été distancé et vaincu par cette ruse d'une incessante et fictive hilarité –, elle poussait un petit cri, fermait entièrement ses yeux d'oiseau qu'une taie commençait à voiler, et brusquement, comme si elle n'eût eu que le temps de cacher un spectacle indécent ou de parer à un accès mortel, plongeant sa figure dans ses mains qui la recouvraient et n'en laissaient plus rien voir, elle avait l'air de s'efforcer de réprimer, d'anéantir un rire qui, si elle s'y fut abandonnée, l'eût conduite à l'évanouissement. Telle, étourdie par la gaîté des fidèles, ivre de camaraderie, de médisance et d'assentiment[2], Mme Verdurin, juchée sur son perchoir, pareille à un oiseau dont on eût trempé le colifichet[3] dans du vin chaud, sanglotait d'amabilité.

1. **Fumisteries** (vocabulaire familier) : propos sans importance, dépourvus de sérieux.
2. **Assentiment** : approbation complice.
3. **Colifichet** : biscuit sec et léger que l'on donne aux petits oiseaux.

DOCUMENT 3 BORIS VIAN, *J'suis snob*, 1955, D.R.

Figure mythique du Paris d'après-guerre, Boris Vian a marqué la vie intellectuelle et artistique française. Écrivain, poète, parolier, chanteur, critique et musicien de jazz, né le 10 mars 1920 à Ville-d'Avray, il est mort le 23 juin 1959 à Paris. Vian a signé ses nombreux écrits de pseudonymes divers dont le fameux Vernon Sullivan, « auteur » de J'irai cracher sur vos tombes.

J'suis snob... J'suis snob
C'est vraiment l'seul défaut que j'gobe
Ça demande des mois d'turbin
C'est une vie de galérien
Mais lorsque je sors à son bras
Je suis fier du résultat
J'suis snob... Foutrement snob
Tous mes amis le sont
On est snobs et c'est bon

Chemises d'organdi, chaussures de zébu
Cravate d'Italie et méchant complet vermoulu
Un rubis au doigt... de pied, pas çui-là
Les ongles tout noirs et un très joli p'tit mouchoir
J'vais au cinéma voir des films suédois
Et j'entre au bistro pour boire du whisky à gogo
J'ai pas mal au foie, personne fait plus ça
J'ai un ulcère, c'est moins banal et plus cher

J'suis snob... J'suis snob
J'm'appelle Patrick, mais on dit Bob
Je fais du ch'val tous les matins
Car j'ador' l'odeur du crottin
Je ne fréquente que des baronnes
Aux noms comme des trombones
J'suis snob... Excessivement snob
Et quand j'parle d'amour
C'est tout nu dans la cour

On se réunit avec les amis
Tous les vendredis, pour faire des snobisme-parties

Il y a du coca, on déteste ça
Et du camembert qu'on mange à la petite cuiller
Mon appartement est vraiment charmant
J'me chauffe au diamant, on n'peut rien rêver d'plus fumant
J'avais la télé, mais ça m'ennuyait
Je l'ai r'tournée... d'l'aut' côté c'est passionnant

J'suis snob... J'suis snob
J'suis ravagé par ce microbe
J'ai des accidents en Jaguar
Je passe le mois d'août au plumard
C'est dans les p'tits détails comme ça
Que l'on est snob ou pas
J'suis snob... Encor plus snob que tout à l'heure
Et quand je serai mort
J'veux un suaire de chez Dior !

As-tu bien lu ?

1 À quel genre les documents 1, 2 et 3 appartiennent-il ? Justifie
   ta réponse.

2 Définis la situation d'énonciation dans chacun des trois documents :
   qui parle ? À qui ? De quoi ? Où ? Quand ?

Le désir de se distinguer...

3 Pourquoi, dans les documents 1 et 3, les jeunes gens renient-ils leurs
   noms de baptême ? Quels noms choisissent-ils de porter ? Pourquoi ?
   Que penses-tu de leur attitude ?

4 Relève dans les documents 1 et 3 trois adverbes utilisés
   par les personnages de snobs. Dans le document 2, pourquoi le mot
   « fumisteries » est-il entre guillemets ?
   Et dans le langage actuel, quels sont les adverbes et expressions
   que tu repérerais comme de nouveaux snobismes ?

DOCUMENT 4 🌿 *Merveilleuses et Incroyables,* 1797, estampe d'après Carle Vernet (1758-1836). Paris, musée Carnavalet.

La fin de la Terreur se traduit par une réaction exubérante aux excès de la Révolution : la jeunesse bourgeoise arbore des tenues excentriques. Sur les boulevards parisiens, on voit ainsi se pavaner celles et ceux qui se nomment eux-mêmes « Incroyables » et « Merveilleuses ».

5 Note dans le tableau les bizarreries lexicales et comportementales par lesquelles les snobs se singularisent par rapport au reste du monde.

	Bizarreries lexicales	Bizarreries comportementales
Document 1		
Document 2		
Document 3		

6 Quel « genre » tous les personnages veulent-ils se donner ?

... repose-t-il forcément sur le mépris des autres ?

7 Recherche l'étymologie du mot « vulgaire » utilisé par Magdelon (document 1). Ce terme a-t-il des connotations péjoratives ou mélioratives ? Justifie ta réponse.

8 Si Magdelon et Cathos sont ridicules dans leurs excès, Gorgibus en est-il pour autant sympathique ? Justifie ta réponse.

9 Dans le document 2, quels termes désignent d'une part les familiers du salon Verdurin, d'autre part ceux qui en sont exclus ?

10 Dans le document 3, trouve-t-on le mépris des autres qui anime les snobs dans les documents 1 et 2 ?

La déformation comique

11 Étudie les relations entre les divers membres du salon de Mme Verdurin (document 2). Quel jugement le narrateur te paraît-il porter sur ce milieu ?

12 En quoi la gestuelle de Mme Verdurin est-elle artificielle ? Relève plusieurs mots qui l'attestent. En réalité, que dissimule cette gestuelle ? Que critique le narrateur ?

13 Relève, toujours dans le document 2, le champ lexical de l'animalité. En quoi le portrait de Mme Verdurin est-il une caricature ?

14 Pourquoi, dans le document 3, les phrases : « J'ai pas mal au foie, personne fait plus ça/J'ai un ulcère, c'est moins banal et plus cher » sont-elles comiques ?

15 Que critique Boris Vian dans les deux derniers vers de sa chanson ?

Lire l'image

16 Comment les deux jeunes gens au premier plan sont-ils représentés ? Quels sont, dans leur costume, les éléments qui te semblent excentriques ?

17 Pourquoi, selon toi, les appelait-on « Incroyables » et « Merveilleuses » ?

Faire le bilan

18 Comment la figure du snob apparaît-elle dans les quatre documents ?

À toi de jouer

19 S'entraîner à l'oral. Prépare un exposé sur (au choix) : la préciosité ; les Incroyables et les Merveilleuses ; les zazous...

Le personnage du Mamamouchi n'est pas une invention de Molière, il est lié au contexte de l'époque. En effet, à travers cette figure, l'écrivain se moque de la politique ottomane de Louis XIV qui voulait faire alliance avec le Grand Turc. Les Français, eux, sont fascinés par les Turcs, ces Orientaux dont l'exotisme les fait rêver. Dans cette enquête, tu découvriras d'où viennent les Turcs, quelles ont été les relations entre l'Empire ottoman et la France, et comment elles ont donné naissance à des représentations durables.

Turcs et turqueries
à l'époque de Molière

L'ENQUÊTE EN 5 ÉTAPES

1 Turcs et Ottomans : qui sont-ils ?

Les Turcs sont les descendants de tribus originaires d'Asie centrale. Certaines de ces tribus se fixent en Asie Mineure[1], où elles donnent naissance à l'Empire ottoman.

● UN PEUPLE VENU D'ASIE CENTRALE

Les Turcs désignent des peuples d'Asie centrale, sans liens ethniques, religieux ou politiques, mais parlant une langue apparentée. À partir du VIe siècle, ils se répandent en Asie occidentale où ils fondent la Turquie (dynastie des Seldjoukides à partir du XIe siècle en Anatolie).

● LES TURCS SELDJOUKIDES

Les Seldjoukides sont les membres d'une tribu d'origine turque qui, du XIe au XIIIe siècle, règne sur l'Iran, l'Irak et l'Asie Mineure, et dont le chef prend le titre de sultan. Constituant la première grande dynastie turque de l'Orient méditerranéen, ils sont à l'origine du peuplement turc de l'Anatolie où ils fondent le puissant sultanat de Rum. Mais, à partir de 1243, le sultanat passe sous l'autorité mongole et l'Anatolie s'émiette en petites dynasties turques. C'est l'une d'elles, celle des Ottomans, qui prend le relais des Seldjoukides en Anatolie.

● L'ASCENSION DES OTTOMANS

Au début du XIIIe siècle, des clans turcomans fuyant l'Asie centrale envahie par les Mongols s'installent aux frontières de l'Anatolie. Profitant du déclin de la puissance seldjoukide, les nouveaux arrivants, parmi lesquels figurait la tribu des Osmanlis (ou Ottomans), constituent des émirats indépendants.

Osman, fondateur de la dynastie des Ottomans

Selon la légende, vers 1230, Ertogrul, le chef de la tribu des Osmanlis, reçoit du sultan la région frontalière de Sögüt, avec pour mission de protéger les Seldjoukides contre l'Empire byzantin. En 1302, son fils Osman, ayant défait les Byzantins, se trouve à la tête d'un émirat couvrant le nord-ouest de l'Anatolie. Il se proclame indépendant, prend le titre de sultan et fonde la dynastie des Ottomans.

1. Nom donné à la partie occidentale de l'Asie, limitée au nord par la mer Noire, à l'ouest par la mer Égée et au sud par la Méditerranée. Avant le Xe siècle et les Byzantins, l'Asie Mineure était appelée Anatolie. Depuis 1923, l'Anatolie désigne la Turquie d'Asie.

2 Comment se caractérise l'Empire ottoman à l'époque de Molière ?

À l'époque de Molière, l'Empire ottoman[1] s'étend sur trois continents : en Europe, il s'avance jusqu'aux frontières austro-hongroises et en Asie jusqu'à la Perse ; il englobe par ailleurs les côtes occidentales et orientales de la mer Rouge et les côtes méditerranéennes de l'Afrique du Nord.

● **L'APOGÉE DE L'EMPIRE OTTOMAN**

En 1453, le sultan[2] Mehmet II (1432-1481) prend la ville de Constantinople : l'ancienne capitale chrétienne de l'Empire byzantin devient ainsi la capitale musulmane de l'Empire ottoman, sous le nom d'Istanbul. Avec Sélim Ier (1512-1520), l'Empire ottoman affirme sa domination sur le monde musulman : en 1517, la ville sainte de La Mecque est placée sous son contrôle.

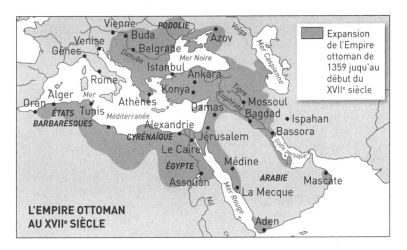

L'EMPIRE OTTOMAN AU XVIIᵉ SIÈCLE

Expansion de l'Empire ottoman de 1359 jusqu'au début du XVIIᵉ siècle

1. Ensemble des territoires sur lesquels le sultan exerçait son autorité.

2. Souverain de l'Empire ottoman.

L'Empire atteint son apogée sous le règne de Soliman II le Magnifique (1520-1566)[2]. En 1529, les troupes ottomanes parviennent jusqu'à Vienne, qu'ils assiègent, menaçant ainsi les frontières de l'empire des Habsbourg.

● UN POUVOIR ABSOLU

Le chef de l'Empire ottoman – le sultan – exerce une autorité absolue dans les domaines politique et religieux. Jusqu'à Soliman, c'est lui qui dirige l'armée en campagne (par la suite, cette charge revient aux vizirs[3]). Représentant de Dieu sur Terre, il est par ailleurs le chef de la communauté musulmane sunnite.

● UNE MOSAÏQUE DE PEUPLES

L'Empire ottoman a pour langue officielle le turc et pour religion d'État l'islam. Cependant, son immense territoire rassemble des peuples extrêmement divers : Turcs, mais aussi Arabes, Tziganes, Berbères, Coptes, Grecs, Slaves. Dans un climat de relative tolérance, les populations vivant sous domination ottomane continuent de parler leur langue et de pratiquer librement leur religion.

● LE DÉBUT DU DÉCLIN

Après l'échec du second siège de Vienne (1683), la lutte entre les

Une vie culturelle brillante

Entre le XVIe et le XVIIIe siècle, Istanbul est le principal centre culturel de l'Empire ottoman, voire du monde musulman, et attire des artistes en tous genres : architectes, poètes, calligraphes, enlumineurs, céramistes, musiciens. Sous le règne de Soliman le Magnifique, l'architecte Sinan fait construire la mosquée Süleymaniye à Istanbul (1550-1557).

Habsbourg et les Ottomans tourne à l'avantage de l'Autriche. C'est le début du déclin de l'Empire ottoman, déclin qui s'explique autant par les désordres intérieurs que par l'essor de la puissance militaire et économique de l'Occident. Celui-ci exporte désormais ses produits manufacturés vers l'Empire qui, par ailleurs, depuis que les navires utilisent la route du cap de Bonne-Espérance, a perdu le monopole du commerce avec les Indes.

---

2. Chef de guerre, grand diplomate, protecteur des lettres et des arts, Soliman sait s'entourer de collaborateurs de haut niveau, qu'il s'agisse du Grec Ibrahim, chrétien islamisé nommé Grand Vizir à moins de 30 ans ; de Sinan, le plus célèbre architecte ottoman ; de Bâkî, l'un des plus grands poètes classiques turcs.

3. Vizir : ministre ; **Grand Vizir :** Premier ministre.

3 Quelles sont les relations entre Louis XIV et l'Empire ottoman ?

Entre la France et l'Empire ottoman, les relations sont difficiles en raison de la cohabitation de deux politiques contradictoires : commercer et guerroyer. Elles se déroulent à deux niveaux, la diplomatie et les échanges liés aux prisonniers de guerre.

● **LE COMMERCE OU LA GUERRE ?**

Le commerce avec l'Empire ottoman enrichit la France et sert la diffusion de la foi chrétienne en Orient. Mais, tout au long du XVIIe siècle, jusqu'à l'envoi à la cour de Louis XIV d'un émissaire ottoman en 1669, les rapports entre la France et la Turquie s'enveniment en raison des campagnes turques contre Venise et l'Autriche (envahie en 1663) et du déséquilibre des échanges entre l'Empire ottoman et la France, qui enrichissent davantage la France que l'Empire ottoman.

La France hésite alors entre une alliance avec Venise et le pape contre l'Empire ottoman, ou le rétablissement de bons rapports avec les Turcs pour préserver ses intérêts commerciaux et politiques.

 Lettre du sultan Mehmet IV à Louis XIV au sujet d'un incident diplomatique, encre et or sur papier, 1669. Paris, archives du ministère des Affaires étrangères.

Un Turc à Paris

La visite de l'émissaire du sultan Mehmet IV à Paris, en novembre 1689, se déroule dans un contexte de tensions liées à la guerre. Dès l'embarquement de Suleyman Aga, on clame que celui-ci ne serait qu'un envoyé de second rang, et non un ambassadeur. Il est reçu au château de Saint-Germain avec un faste impressionnant : Louis XIV est revêtu d'un « brocart d'or couvert de diamants » et ses ministres portent des costumes orientaux. En face, la simplicité de la tenue de Suleyman et de son entourage choque la cour. Un témoin note dans son journal que rien ne « parut si pauvre ni si misérable » que ce Turc, et que les cavaliers de son escorte étaient « tous plus mal vêtus les uns que les autres ». Pour couronner le tout, Suleyman Aga, ne se laissant pas éblouir par le luxe déployé en son honneur, aurait déclaré que les chevaux du sultan étaient plus luxueusement harnachés que Louis XIV. Échec diplomatique, certes, mais aussi double cadeau fait à la France puisque Suleyman introduit le café à la cour et que sa visite est à l'origine de la création du Bourgeois gentilhomme...

● LA POLITIQUE OTTOMANE DE LOUIS XIV

Mazarin, avant sa mort, appelle à une sorte de guerre sainte contre l'islam. Louis XIV s'engage à assurer la victoire du christianisme mais sans fournir d'hommes ni de matériel. Il estime en effet plus urgent de venir à bout des corsaires barbaresques, afin d'assurer la sécurité des navires marchands en Méditerranée : le commerce passe avant la guerre sainte. Mais, à la fin du XVIIe siècle, l'Empire ottoman, affaibli, essuie défaite sur défaite. Le roi de France donne le coup de grâce aux armées ottomanes et déclenche les hostilités le 20 août 1688 : il se range aux côtés de Venise et envoie un corps de volontaires français à Candie (Crête) assiégée par les Turcs.

● DES ÉCHANGES LIÉS AUX CAPTIFS DE GUERRE

Au XVIIe siècle, des centaines de milliers d'Européens ont été capturés dans les guerres en Méditerranée, puis mis en esclavage et revendus dans une incroyable suite d'aventures.
Le public de l'époque s'est particulièrement enthousiasmé pour les récits de captivité de certains voyageurs[1]. Dans ces récits, si les Turcs sont parfois célébrés pour leur tolérance et leur charité, le plus souvent, ils sont décrits comme des mécréants et de redoutables guerriers.

---

1. La littérature européenne est imprégnée de ces récits de captivité : dans *Othello* (1604), de Shakespeare, le héros est un ancien captif ; dans *Les Fourberies de Scapin* (1671), de Molière, on fait croire à un père que son fils, capturé par des pirates, rame sur une galère.

Les captifs, selon qu'ils sont chrétiens ou musulmans, n'ont pas le même statut : les chrétiens représentent une monnaie d'échange (ils appartiennent souvent à des familles aisées, ils sont négociants, aristocrates), tandis que les Turcs – le plus souvent des matelots – sont réduits en esclavage à bord des galères. En outre, les compétences techniques des prisonniers sont très prisées par les Turcs, qui apprécient tout particulièrement les pilotes de navire et les charpentiers. On leur offre de bonnes conditions de vie, au point que certains embrassent l'islam, deviennent corsaires et se font Turcs ! Le commerce des captifs est d'une ampleur considérable. Les tractations sont à l'origine de bénéfices substantiels : au prix de la rançon, il faut ajouter les sommes dues aux intermédiaires (confréries, institutions municipales).

Un rescapé célèbre : le soldat Saavedra alias Cervantès

Capturé en 1575 par les pirates barbaresques[2], le futur auteur de *Don Quichotte* va passer cinq ans dans les geôles du bagne d'Alger. Cinq fois il tente de s'évader, cinq fois il est repris. Il est considéré par les pirates comme un « esclave de rachat », c'est-à-dire l'un de ceux dont on espère une forte rançon, et la sienne est estimée à un tel taux qu'il ne peut être racheté qu'au bout de cinq ans, en octobre 1580.

Les frères Barbarossa, pirates barbaresques de la côte nord-africaine. Gravure, école hollandaise (XVIIe siècle). Collection privée.

2. Mot formé à partir du terme géographique *Barbarie* (terre des Berbères) utilisé à partir du XVIe siècle pour désigner les pays d'Afrique du Nord sous suzeraineté ottomane (Algérie, Tunisie, Libye).

Comment les Turcs sont-ils représentés dans les spectacles de cour ?

Lorsque Molière répond à la commande du roi d'un divertissement mettant en scène des Turcs, il ne fait que s'inscrire dans le fil d'une tradition : avant lui, les Turcs étaient déjà présents dans des comédies et des ballets de cour.

● **LA CARICATURE DES TURCS DANS LES BALLETS DE COUR**

Sous le règne de Louis XIII, les Turcs sont présents dans les ballets sous la forme caricaturale d'un exotisme convenu, mélangeant Turcs, Persans et Indiens. L'Islam y est généralement représenté comme une force à combattre.

À l'époque de Louis XIV, même si les turqueries s'inspirent de la réalité historique (les corsaires turcs écument les mers), les figures de Turcs demeurent des allégories politiques : le Grand Turc, dans *Le Grand Bal de la douairière de Billebahaut*[1], incarne l'autorité du pouvoir ; les aventuriers turcs de Benserade, dans le *Ballet royal de la nuit* (1653), représentent la colère. La présentation caricaturale des Turcs en personnages terrifiants et sanguinaires sert à souder les Européens contre un ennemi commun, et à glorifier le roi.

Le Grand Bal de la douairière de Billebahaut, « Seconde entrée du Grand Seigneur ». Aquarelle de Daniel Rabel (1578-1637). Paris, musée du Louvre.

● **QU'EST-CE QU'UNE « TURQUERIE » ?**

Entre 1660 et 1670, la turquerie prend sa forme définitive de cérémonie théâtrale burlesque et en musique, dans laquelle, pour l'honorer et se moquer de lui, un personnage est métamorphosé en Turc. Inspirée du *Grand Bal*, la turquerie du *Bourgeois gentilhomme* porte son modèle à la perfection. Destinée à faire rire de la grossièreté

---

1. Le *Grand Bal de la douairière de Billebahaut* est un ballet burlesque représenté en 1626 : la douairière, vieille coquette ridicule, donne un bal auquel elle a convié des princes de toutes les parties du monde, lesquels arrivent juchés sur des animaux exotiques et fantaisistes ou déguisés en perroquets verts dansants.

de Suleyman Aga, elle met en évidence, conformément au souhait de Louis XIV, « quelque chose des habillements et des manières des Turcs[2] ».

La turquerie

Un genre prolifique

Avant *Le Bourgeois gentilhomme* (1670), qui consacre la fortune du genre, on trouve de nombreux exemples de turqueries :
— dans *La Sorella* (1589), adaptée par Rotrou sous le titre *La Sœur* (1645), Giambattista della Porta multiplie déjà les répliques en pseudo-turc et joue sur le mélange des genres ;
— l'*Histoire comique de Francion* (1626), de Charles Sorel, met en scène une cérémonie d'intronisation grotesque ;
— Lully, en 1660, offre à la cour un récit « turquesque » de sa façon qui ravit Louis XIV.

Ses caractéristiques

Elle se distingue du « divertissement de cour » par des chants, des percussions et plusieurs instruments « à la turquesse » (tel le tambourin) qui se mêlent à la musique française, par l'usage de la langue turque, le travestissement burlesque des danseurs et des acrobates.

Pratiques turques...

La représentation de M. Jourdain, agenouillé, vêtu « à la turque » et la tête rasée, correspond à une notation du *Voyage du Levant* (1664), de Jean de Thévenot : celui-ci raconte que que les Turcs se rasaient la tête par superstition, le diable se logeant, selon leurs croyances, dans les cheveux. D'autres pratiques de l'islam inspirent certains jeux scéniques burlesques de la pièce : les comédiens lèvent haut leur tapis de prière, s'agenouillent, se prosternent en invoquant Mahomet et en chantant *Allah Akhbar* (« Dieu est grand »).

● L'ORIGINALITÉ DU *BOURGEOIS GENTILHOMME*

Les Turcs de Molière sont plus réalistes que les caricatures conventionnelles habituelles, car le dramaturge a consulté des historiens ou des journaux de voyageurs. Molière crée aussi une langue de fantaisie très originale, où se mélangent mots et expressions turcs, emprunts au français, à l'italien, à l'espagnol et à l'arabe, langue rendue compréhensible par un personnage d'interprète : Covielle.

---

2. C'est ce que raconte le chevalier d'Arvieux (1635-1702) dans ses *Mémoires*. Bon connaisseur du monde oriental, Louis XIV lui avait ordonné de travailler avec Molière et Lully à la réalisation du *Bourgeois gentilhomme*.

5 Que devient la mode turque après Molière ?

Durant le siècle des Lumières, la curiosité pour l'Orient ne se dément pas et se manifeste dans tous les domaines artistiques.

● UNE MODE DE COUR

Au XVIIIᵉ siècle, la mode de l'Orient se répand à la cour. Mme de Pompadour et Mme du Barry, favorites de Louis XV, se font représenter en sultanes par le peintre Van Loo. Le goût pour l'Orient se manifeste aussi par l'aménagement « à la turque » des boudoirs ou des salons.

● UN MOYEN POUR CRITIQUER LES MŒURS

La parution en 1704 de la traduction par Antoine Galland des *Milles et Une Nuits* est déterminante : pour la première fois, la culture et les mœurs arabes sont dépeintes par des Arabes et non par les récits des pèlerins, moines ou marchands européens. Plus de 120 ouvrages turcs sont traduits entre 1730 et 1750. Les philosophes des Lumières s'inspirent de ces ouvrages pour critiquer la société et les mœurs françaises et mettent en scène des Persans et des Turcs ironiques et facétieux : *Lettres persanes*, de Montesquieu (1721) ; *Zaïre* (1732), *Zadig* (1747), de Voltaire.

> ## Les Mille et Une Nuits
>
> Le schéma narratif des *Mille et Une Nuits* est simple : le roi Shâhriyâr, trompé par son épouse, décide de se venger de toutes les femmes : chaque jour, il épouse une vierge et la tue le lendemain matin. Pour que le massacre s'arrête, Shéhérazade, la fille aînée du Grand Vizir, épouse le roi et met au point un stratagème : le soir des noces, elle lui raconte une histoire dont le récit n'est pas terminé au lever du jour. Le roi, captivé par le conte, veut en connaître la fin et lui laisse la vie sauve pour une journée encore. Au bout de mille et une nuits, il gracie Shéhérazade et la garde auprès de lui.

Carle Van Loo (1705-1765), Dame de harem buvant du café (Madame de Pompadour en qualité de sultane), 1752, huile sur toile, 120 x 127 cm. Saint-Pétersbourg, musée de l'Ermitage.

Petit lexique du comique

Acte	Nom donné à chacune des grandes parties d'une pièce de théâtre. Le changement d'acte correspond à un changement de lieu, de moment ou d'action. Entre les actes, le rideau se ferme ou l'obscurité se fait.
Comédie-ballet	Liée à la vie de cour, la comédie-ballet allie théâtre, musique, chant et danse. Exemples chez Molière : *Le Bourgeois gentilhomme* (1670), *Le Malade imaginaire* (1673).
Comédie de caractère	Forme de comédie centrée autour d'un personnage qui, comme Harpagon, représente un défaut ou une manie. Exemples chez Molière : *Le Misanthrope* (1666), *L'Avare* (1668), *Tartuffe* (1669).
Comédie d'intrigue	Forme de comédie où l'accent est mis sur l'action, et non sur les personnages ou leur psychologie. Exemple chez Molière : *Les Fourberies de Scapin* (1671).
Comédie de mœurs	Forme de comédie qui s'attaque par le rire aux travers de la société, à ses défauts, et souhaite y remédier. Exemples chez Molière : *Les Précieuses ridicules* (1659), *Les Femmes savantes* (1672), *L'Avare* (1668).
Commedia dell'arte	Genre théâtral italien dans lequel, à partir de personnages (Arlequin, Pantalon, Matamore, Colombine...) et de situations types (canevas comiques), les comédiens improvisent une action en l'accompagnant de plaisanteries burlesques (*lazzi*).
Comiques (procédés)	Pour faire rire le public, l'auteur et/ou le metteur en scène peuvent jouer sur les gestes, les mots, le caractère ou encore la situation.
Didascalie	Figurant en italique dans le texte de la pièce, les didascalies donnent des indications de mise en scène, qui concernent aussi bien les déplacements, les gestes ou le ton des personnages, que le décor ou les costumes.
Farce	Pièce courte au comique grossier où les gestes (coups de bâton, chutes, gifles...) ont autant d'importance que le texte.
Satire	Dénonciation, sur le mode comique, des travers d'un individu, d'un groupe social, d'une institution. Exemple : la satire de la justice dans l'acte V de *L'Avare*.
Scène	1. Lieu où jouent les acteurs. 2. Nom donné à chaque partie d'un acte. On change de scène lorsqu'un personnage arrive ou s'en va.

À lire et à voir

- **LIVRES ET FILMS POUR MIEUX CONNAÎTRE MOLIÈRE**

Sylvie Dodeller, *Molière*, L'École des loisirs, coll. « Belles vies », 2005
Pierre Lepère, *La Jeunesse de Molière*, Gallimard, Folio Junior, 2003

Molière, ou la Vie d'un honnête homme, film d'Ariane Mnouchkine, 1978
Molière, film de Laurent Tirard, 2007

- **MISES EN SCÈNE DU *BOURGEOIS GENTILHOMME***

Le Bourgeois gentilhomme, de V. Dumestre et B. Lazar, 2005
Le Bourgeois gentilhomme, de J. Savary avec le Grand Magic Circus, 1978

- **COMÉDIES MUSICALES AU CINÉMA**

West Side Story, film américain de Robert Wise, 1961
My Fair Lady, film américain de George Cukor, 1964
Les Demoiselles de Rochefort, film français de Jacques Demy, 1967
Tommy, film britannique de Ken Russell, 1975

Table des illustrations

Suivi éditorial : Luce Camus
Iconographie : Hatier Illustration
Illustrations intérieures : Alice Gravier
Cartographie : Domino
Principe de maquette : Marie-Astrid Bailly-Maître & Sterenn Heudiard
Mise en page : CGI

 Achevé d'imprimer par Grafica Veneta à Trebaseleghe - Italie
Dépôt légal n° 95915-8/02 - Août 2012